GASTON GAGNON

UN PAYS NEUF

LE SAGUENAY—LAC-SAINT-JEAN
EN ÉVOLUTION

LES ÉDITIONS DU ROYAUME

Richard Buay (signature)

Cette publication a reçu l'aide financière de la Compagnie Abitibi-Price dans le cadre de son programme d'intervention pour souligner le 150ᵉ anniversaire du Saguenay–Lac-Saint-Jean.

Document de couverture: *Rivière-du-Moulin en 1871*, Musée du Saguenay—Lac-Saint-Jean

Montage: Jacinthe Ratté enr.

Impression: Imprimerie Le Lac-St-Jean

© Les Éditions du Royaume
100, rue Price Ouest
Alma, Québec
G8B 4S1
Tél.: (418) 662-6425

ISBN 2-920164-08-2

Dépôt légal 2ᵉ trimestre 1988
Bibliothèque nationale du Québec
Bibliothèque nationale du Canada

À Marie-Laure Barrette,
ma grand'mère paternelle qui,
par ses souvenirs,
m'a donné le goût de l'histoire.

À monseigneur Victor Tremblay
et à l'abbé Jean-Paul Simard
qui m'ont initié au métier d'historien.

Préface

À travers le fil ininterrompu de l'histoire se profilent d'innombrables destins d'hommes et de femmes qui nous ressemblent autant que nous leur ressemblons mais qui, chacun à leur façon, s'inscrivent de façon originale dans la trame collective.

À l'occasion du 150ᵉ anniversaire du Royaume du Saguenay—Lac-Saint-Jean, l'admirable travail des «ouvriers de la mémoire» nous renvoie ces portraits trop souvent oubliés au profit d'une réflexion vivifiante sur les origines et les motivations profondes qui ont dicté les lignes de conduite de nos prédécesseurs.

L'oeuvre d'initiation à l'histoire régionale de Gaston Gagnon s'adresse aux jeunes en faisant confiance à l'intelligence. Elle ne rejette pas l'anecdote mais s'intéresse surtout à la démonstration globale, à une compréhension interactive des divers éléments de notre histoire. Elle vise à donner le goût d'aller plus loin, de dépasser le descriptif pour atteindre l'essentiel. Elle suscite le désir de savoir, de mieux connaître... de mieux se connaître!

Tout en rendant hommage à ce que nous sommes, au «Pays neuf» qui fut et qui se regénère à chaque instant qui passe, la vision historique que nous livre ce document sera *sûrement, pour plusieurs, le départ d'une belle aventure intellectuelle et affective.*

En souhaitant que le coeur fasse bon ménage avec la raison et que nos futurs historiens soient touchés autant qu'ils nous toucheront... dans l'avenir.

Avec l'espérance des belles découvertes!

Réjean Simard
Président
Corporation du 150e anniversaire
du Saguenay—Lac-Saint-Jean inc.

Introduction

Ce livre se veut une introduction à l'histoire du Saguenay—Lac-Saint-Jean. Bien que les spécialistes y trouveront des éléments nouveaux, il s'adresse avant tout au groupe
scolaire et au public en général intéressés à connaître davantage l'évolution d'un des coins du Québec reconnu pour son
dynamisme et son esprit d'entreprise.

Inscrit dans la perspective de la longue durée historique,
depuis la préhistoire jusqu'à la grande industrie, l'ouvrage
s'appuie sur une recherche d'une quinzaine d'années dans les
archives régionales. Les contacts réguliers avec ces témoins
de la mémoire, l'exploration sans cesse continue du territoire
afin de détecter les traits du paysage et les vestiges laissés par
les occupants ainsi que le voisinage des principaux intervenants du milieu dans les domaines socio-politique et culturel
ont déterminé pour une large part l'orientation et le contenu
de l'ouvrage.

Chaque génération ayant besoin d'écrire son histoire
pour se situer dans le temps, pour marquer les progrès
accomplis et être mieux à même, par sa connaissance de son
passé, d'agir sur le réel et le transformer, il apparaissait
important, dans le cadre entre autres du cent-cinquantième
anniversaire du Saguenay—Lac-Saint-Jean, de procéder à un
inventaire ou à une sorte de bilan de la région. À travers la

lecture de l'évolution de la trame du Saguenay—Lac-Saint-Jean se profile, selon les époques, les contextes et les intérêts, la recherche constante des hommes, au sens anthropologique du terme, à tirer partie des ressources du milieu. Qu'il s'agisse des Montagnais, des membres de la Société des Vingt-et-Un, de William Price, de la Compagnie de pulpe de Chicoutimi ou de l'Alcan, l'emprise sur le territoire et les nécessités du marché contribuent à façonner toujours plus largement le milieu. Non seulement cette référence au commerce extérieur conditionne-t-elle le développement du Saguenay—Lac-Saint-Jean mais elle explique en même temps la spécialisation de ses fonctions à l'intérieur de l'ensemble québécois et canadien.

À côté des grands personnages qui ont influé sur l'orientation tant du Saguenay que du Lac-Saint-Jean se présentent, à un autre étage, un certain nombre d'individus qui, comme Marie Galiope, Louis Mathieu et Thomas Roberge, ont marqué leur entourage et leur génération. Mais par delà ces figures hautes en couleur, c'est toute la mise en place d'une société qui est analysée, à travers ses moments d'enthousiasme comme la conquête du territoire et ses moments de difficultés comme les crises de subsistance et le grand feu de 1870.

Reflétant les principales composantes du Québec, le Saguenay—Lac-Saint-Jean est un bel exemple d'un «pays neuf» dont l'histoire reste encore à creuser.

Chapitre I

LES TRAITS D'ENSEMBLE DE LA RÉGION

Chercher à définir la spécificité du Saguenay—Lac-Saint-Jean, à cerner les étapes de son évolution, à décrire le rôle de ses principaux acteurs, à préciser son réseau d'interrelations avec l'extérieur, c'est supposer une série de connaissances de base qui renvoient aux fondements mêmes de la région, à son appellation comme à son cadre spatial et à sa géomorphologie, à son potentiel naturel comme à sa population et à sa structure économique actuelle. Bien que présentés sommairement, ces préalables permettent déjà une première saisie de l'entité régionale. Symbolisant et commandant, dans une certaine mesure, les différentes phases de son développement, ils invitent à pousser encore plus loin l'exploration de cet ensemble qu'est le Saguenay—Lac-Saint-Jean.

Un toponyme en constante mutation

Connue au temps de Jacques Cartier pour être une des trois provinces du Canada après Stadaconé et Hochelaga, la région n'a pas toujours été désignée par l'appellation Saguenay—Lac-Saint-Jean[1]. À l'époque du deuxième voyage de Cartier (1535-1536) et des premières expéditions de

Champlain (1603-1608), le toponyme employé était celui de
«Saguenay» ou de «Sagné». Signifiant «eau qui sort» ou
«d'où l'eau sort», ce vocable qui, selon toute vraisemblance,
serait d'origine huronne-iroquoise correspond à tout l'espace
compris entre le cap des Cormorans près de Sept-Îles et la
pointe nord-est de l'île aux Coudres jusqu'à environ 80
kilomètres en aval de la baie James[2].

Lors du régime français, le terme «Sagné» renvoie par
contre le plus souvent à la rivière, tandis que la région est
connue sous plusieurs appellations en rapport avec
l'implantation du commerce des fourrures à l'intérieur du
territoire. C'est ainsi que les toponymes suivants apparaissent: la Traite de Tadoussac en 1652, la Ferme de
Tadoussac en 1664 et le Domaine du Roi vers 1720. Évo-
cateurs de l'importance sans cesse grandissante de la région
et de son commerce au sein de la Nouvelle-France, ces
toponymes reflètent aussi le changement d'allégeance
lorsque survient la conquête britannique, le terme King's
Posts que l'on traduira par les Postes du Roi figurant dans les
documents dès 1760 et 1763[3].

À partir de 1820, au moment où il est question de
coloniser la région et de développer l'industrie forestière,
c'est le nom primitif qui resurgit. Dans l'esprit des promoteurs gouvernementaux et cléricaux, des marchands de
bois autant que des habitants de Charlevoix et du Bas-du-
Fleuve, le mot Saguenay recouvre toute cette étendue
jusqu'au-delà du lac Saint-Jean. Avec la construction du
chemin de fer et l'avènement du tourisme à Roberval en 1888,
un nouveau changement survient dans le toponyme. La
réalité jeannoise devenant plus importante du point de vue
démographique, économique et social que celle du Haut et du
Bas-Saguenay, le terme Lac-Saint-Jean sera alors utilisé pour

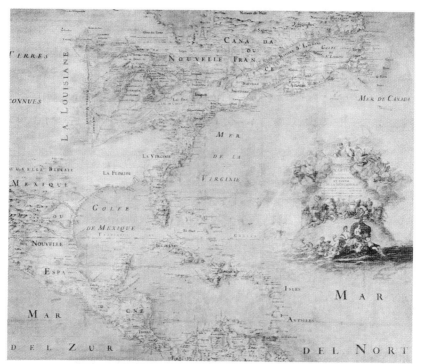

«Le Saguenai», une nouvelle variante toponymique.
Carte de l'Amérique septentionale, 1681, Musée de La Rochelle.

identifier la région[4]. Intimement associé aux sociétés de colonisation et de rapatriement, ce toponyme est encore utilisé aujourd'hui par des Montréalais pour désigner les différentes composantes du milieu régional.

Afin de contrebalancer cette tendance et d'établir une unité autour de l'appellation de la région, l'expression Saguenay—Lac-Saint-Jean sera introduite vers 1950[5]. Mgr Victor Tremblay, le fondateur de la Société historique du Saguenay, la dénoncera violemment parce que contraire au sens d'origine et à la tradition. L'usage contribuera à en assurer la prépondérance et à renvoyer non aux fondements historiques, mais aux deux grandes réalités géographiques à la base de la région, soit le lac Saint-Jean et son déversoir, la rivière Saguenay[6].

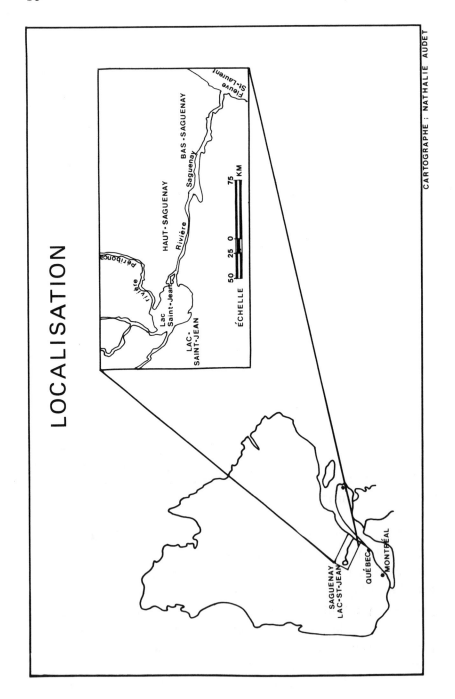

LOCALISATION

ÉCHELLE

50 25 0   75 KM

LAC-SAINT-JEAN

Lac Saint-Jean

HAUT-SAGUENAY

Rivière Péribonca

rivière Saint-Jean

Rivière Saguenay

BAS-SAGUENAY

Fleuve St-Laurent

SAGUENAY LAC-ST-JEAN

QUÉBEC

MONTRÉAL

CARTOGRAPHE : NATHALIE AUDET

Une région dite périphérique

Situé presque au centre du Québec, le Saguenay—Lac-Saint-Jean appartient à ces larges espaces marginalisés, localisés en périphérie des deux grands pôles québécois que sont Québec et Montréal. Bornée au sud par la Vieille Capitale et la Mauricie, à l'est par la côte de Charlevoix, à l'ouest par l'Abitibi—Témiscamingue et au nord par la Côte-Nord, la région, par ses paysages maritimes et industriels, ses zones urbaines et rurales, ses richesses forestières et minières, ses territoires de chasse et de pêche, constitue en quelque sorte une image réduite du Québec[7].

Bien qu'à 180 kilomètres au nord de Québec et à cinq heures de route de Montréal, le Saguenay—Lac-Saint-Jean a été longtemps perçu comme une région isolée, alors que, dans les faits, il n'a rien de comparable en terme d'éloignement avec les régions de la Gaspésie, de l'Abitibi, de la Côte-Nord et du Bas-du-Fleuve[8]. Cette perception, qui a entravé à plusieurs reprises le cours de son développement, est due à sa position excentrique par rapport à la vallée du Saint-Laurent et à la présence du massif rocheux des Laurentides. L'isolement contribuera ainsi à tisser une unité et un senti-ment d'appartenance à la région, puisque celle-ci sera large-ment tributaire des grands centres décisionnels et tardivement munie de moyens de transport adéquats. En sens inverse toutefois, ce positionnement favorisera très tôt la mise en place d'un important réseau de services institutionnels tant au Saguenay qu'au Lac-Saint-Jean et forgera les traits d'une mentalité axée principalement sur la débrouillardise et l'esprit d'indépendance[9].

La localisation de la région à l'intérieur de l'espace québécois permet donc de comprendre son processus de développement. C'est de cette façon que l'on arrive à expliquer par exemple les relations privilégiées de la région avec la ville de Québec sur les plans religieux, industriel, commercial et social, et que l'on parvient à la classer parmi les régions ressources, bien qu'à plusieurs points de vue, la répartition et la densité de la population ainsi que l'importance de sa structure urbaine l'en distinguent nettement[10]. Dans ce contexte québécois et nord-américain, l'emplacement du Saguenay—Lac-Saint-Jean préfigure et supporte en d'autres termes son évolution.

Des frontières encore à définir

Selon le point de vue, il existe au moins trois versions des limites frontalières du Saguenay—Lac-Saint-Jean. La première, soutenue par Mgr Victor Tremblay, correspond à peu près au pays d'origine, à celui des Amérindiens, et comprend la partie centrale du Nord habité du Québec, allant de Chibougamau à Sept-Îles et de la Réserve faunique des Laurentides au grand lac Mistassini. Ainsi définie, la région couvre une superficie de 440 300 kilomètres carrés, soit rien de moins que les deux tiers de la superficie de la France[11].

La deuxième version est celle que défend Jules Dufour. Écartant le secteur Chibougamau pour des raisons d'ordre géophysique, il délimite le territoire de ce qu'il appelle la Sagamie par le bassin hydrographique du Saguenay et par les parterres de coupe octroyés aux grandes compagnies papetières. Intégrée au Moyen-Nord québécois, la région possède, selon ce géographe, une étendue de 100 000 kilomètres carrés[12].

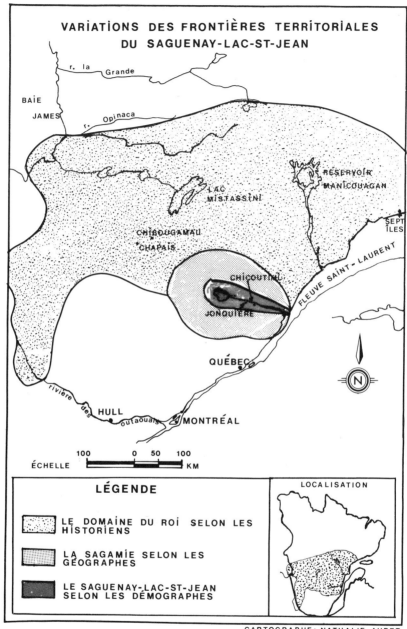

VARIATIONS DES FRONTIÈRES TERRITORIALES
DU SAGUENAY-LAC-ST-JEAN

CARTOGRAPHE; NATHALIE AUDET

La dernière version, celle que proposent les démographes, adopte des dimensions plus étroites, qui collent davantage aux zones habitées[13]. Comprenant environ 22 500 kilomètres carrés, la région englobe alors l'espace compris de l'ouest à l'est entre Saint-Thomas-Didyme et Petit-Saguenay et du nord au sud entre Notre-Dame-de-Lorette et le lac des Commissaires.

Ces diverses interprétations montrent l'évolution du concept territorial de la région. De l'une à l'autre, l'espace régional se restreint et en vient à se confondre avec celui de l'oekoumène. Aussi, entre le Saguenay—Lac-Saint-Jean historique et l'actuel, il existe un décalage imputable au morcellement ou au détachement de certaines de ses parties à l'exemple de Chibougamau, de Tadoussac, de Sept-Îles et de La Malbaie, mais également à la création d'un véritable esprit régional, produit à la suite de plusieurs vagues de peuplement et de la mise en valeur de ses ressources. Avec ces traits naturels, ne retrouve-t-on pas là un des principaux éléments qui concourt à définir la région et à délimiter ainsi ses frontières internes?

Une oasis en milieu nordique

Contrairement à ce que l'on croyait au siècle dernier, ce n'est pas un cataclysme qui est à l'origine du Saguenay—Lac-Saint-Jean[14]. La contribution des géographes, de ce point de vue, est déterminante, car elle nous fait voir la nature et la complexité du phénomène.

Partie intégrante du Bouclier canadien et l'une des trois régions naturelles du Québec avec les Laurentides, qui recouvrent la plaine de Montréal, la plaine du Saint-Laurent ainsi que les abords de l'estuaire, et les Appalaches, qui intègrent les Cantons de l'Est, les plaines de l'Estrie et de la Gaspésie, la région est une vaste fosse tectonique, c'est-à-dire une dépression de plusieurs milliers de kilomètres carrés taillée à travers les plateaux laurentiens[15]. Très bien observable au sortir de la réserve des Laurentides ou à partir des monts Valin, cette enclave ou cette dépression explique le horst de Kénogami, le fjord du Saguenay et la présence de basses terres, soit la cuvette du lac Saint-Jean, de même que certaines similitudes avec les régions des Laurentides et de l'Outaouais en ce qui a trait au paysage et à la forêt.

Le relief de la région est dû essentiellement à l'oeuvre des glaciers. À l'instar de la majeure partie de l'hémisphère nord, le Saguenay—Lac-Saint-Jean connut à l'époque du quaternaire, donc peu de temps avant l'apparition de l'homme sur la terre, quatre glaciations successives, marquées par des périodes interglaciaires plus chaudes[16]. Lors de la dernière glaciation, soit environ 30 000 ans avant Jésus-Christ, une couche de glace de plusieurs milliers de mètres d'épaisseur recouvrit la région. En descendant lentement vers le Saint-Laurent, cette masse glaciaire surcreusa l'axe de la fosse tectonique et donna au Saguenay l'aspect d'un véritable fjord, avec ses falaises, ses caps escarpés et ses innombrables anses et baies qui font encore de nos jours l'admiration des amateurs de croisières. Avec le réchauffement progressif du climat entre 10 000 et 13 000 ans avant notre ère, les glaces perdirent de leur ampleur et se retirèrent graduellement vers le nord. Une immense mer se forma presque aussitôt, appelée par les géographes du nom générique de «mer de Champlain», qui inonda toutes les basses terres situées le long du Saint-Laurent depuis Québec jusqu'à Ottawa et Cornwall en Ontario[17].

Le fjord du Saguenay par Livernois, Collection Y. Gauthier.

Cette mer, identifiée dans la région au «golfe» ou à la «mer de Laflamme», rendit le lac Saint-Jean six à sept fois plus grand qu'il ne l'est actuellement. Elle explique non seulement l'existence de la rivière Saguenay et le modelé des formes fluviales des grands cours d'eau de la région, comme le lac Kénogami, la rivière Chicoutimi et la rivière Ouiatchouane[18] , mais la présence dans le Saguenay d'une douzaine d'espèces fauniques appartenant au courant arctique, telles la baleine, le béluga, le requin, le marsouin et la célèbre ouananiche, ce saumon d'eau douce choisi comme emblème animalier régional[19].

Lorsque la mer s'est enfin retirée à la suite du relèvement du continent, elle a déposé aussi bien au Saguenay qu'au Lac-Saint-Jean d'importantes couches d'alluvions et d'argiles grises qui ont donné le système actuel de terrasses[20].

Les glaciations du quaternaire ont donc façonné le paysage primitif du Saguenay—Lac-Saint-Jean. Contribuant à créer une oasis de terres fertiles au beau milieu du plateau laurentien, elles dessineront trois espaces aux traits fortement contrastés[21] qui susciteront l'intérêt de la National Geographic Society et qui seront voués, en raison de leurs spécificités biophysiques, à des fonctions ou à des activités complémentaires[22]. C'est ainsi que, prise globalement, la cuvette du Lac-Saint-Jean sera associée au domaine agricole, la presqu'île de Chicoutimi ou le Haut-Saguenay, cette sous-région formée d'un amalgame des deux ensembles qui la bornent, deviendra le pays de la grande industrie et des services, et la zone du fjord ou du Bas-Saguenay sera identifiée à la navigation et au transport maritime.

Des ressources diversifiées et abondantes

Selon les travaux du palynologue Pierre Richard, la végétation du Saguenay—Lac-Saint-Jean serait apparue vers 8000 ans avant notre ère et serait caractérisée par une pessière, en l'occurrence une forêt de résineux dominée par les épinettes noires. Peu de temps après, vers 5500, apparaît la sapinière à bouleau jaune, puis la forêt mixte, qui existe encore aujourd'hui[23].

Couvrant près de 75% du territoire, cette ressource est au centre de l'histoire régionale[24]. En plus d'abriter de nombreux animaux sauvages, entre autres le castor, l'orignal, l'ours, le vison et le rat musqué, elle permet à une très grande variété d'oiseaux comme le canard, le huard, l'oie sauvage, la bernache et la perdrix d'y nicher et de s'y reproduire[25]. Servant de cadre de vie et d'élément de subsistance aux premiers occupants de la région, le couvert forestier favorisera l'établissement et l'essor du commerce des fourrures avant de fournir la matière première à l'industrie du bois de sciage et des pâtes et papiers. Assurant enfin un débit d'eau plus

Aire d'empilement sur la rivière du Moulin vers 1915, ANQ, Fonds Price.

régulier, la forêt accentuera, par le phénomène de rétention, les capacités énergétiques des lacs et des rivières et facilitera le flottage du bois au moment des crues printanières[26].

Après la forêt, l'eau est la deuxième ressource importante[27]. Milieu de vie où abondent différents types de poissons tels le saumon et la morue au Saguenay, la ouananiche, le doré et la truite mouchetée au Lac-Saint-Jean, l'eau a servi pendant des millénaires de voie de transport pour les Amérindiens, notamment lors de leurs foires commerciales. Les Européens et les Canadiens utiliseront ce même réseau pour le commerce des fourrures, puis les colons s'en serviront comme moyen de pénétration pour se rendre au lac Saint-Jean. Les industriels et les forestiers recourront à leur tour à la force hydraulique pour actionner les moulins et acheminer le bois. Au tournant du siècle, on commencera à produire de l'électricité et à ériger des barrages pour le fonctionnement des turbines et des défibreurs des premières usines de pâtes à papier. Vers 1920, émergent les centrales hydro-électriques; des travaux gigantesques seront alors entrepris, comme ceux du lac Kénogami

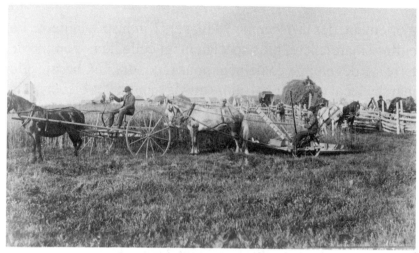

Le temps des foins à Saint-Jérôme,
Lac-Saint-Jean, ANQ-C, Fonds Livernois.

et de la Grande Décharge, afin de créer des réservoirs qui garantiront une production industrielle continue, douze mois par année[28]. La pêche et la navigation demeureront, bien qu'elles ne trouveront plus l'éclat et l'effervescence du temps des Price et des Beemer.

La terre et les produits du sous-sol constituent enfin les dernières ressources de la région. Le sol cultivable et vraiment fertile est localisé sur les basses terres du Lac-Saint-Jean et sur les plateaux de Chicoutimi[29]. De façon plus précise, il est surtout concentré autour des plaines d'Hébertville et de Normandin. À part cette zone, on retrouve des parcelles de terre arable à Saint-Ambroise, à Laterrière, à L'Anse-Saint-Jean et au Petit-Saguenay. Le domaine agricole véritable n'occupe donc, contrairement à la vallée laurentienne, qu'une très faible partie du territoire régional qui appartient d'abord au secteur forestier[30]. En raison des conditions climatiques, de la courte saison végétative et de la pénurie de bons sols, la plupart des entreprises agricoles s'orientent, dès la décennie 1880, vers l'industrie laitière. La culture maraîchère, plus spécialement celle de la pomme de terre, se développe également pour répondre aux besoins du marché local ou régional, alors que la récolte des bleuets, à la suite de la navigation et de l'arrivée du chemin de fer, occupe une place importante dans le commerce extérieur.

En ce qui regarde finalement le secteur minier, à l'exception des carrières de pierre de calcite et de granite de Saint-Gédéon et de Mistassini et de la mine de colombium de Saint-Honoré, les principaux gisements de minerai se retrouvent au nord-ouest du Lac-Saint-Jean, dans l'hinterland formé par les villes de Chibougamau et de Chapais détachées de l'unité administrative régionale en 1987. Au début du siècle, des géologues et des prospecteurs à la solde des compagnies minières vont inventorier et exploiter les riches gisements de cuivre, d'or, de magnétite et d'amiante contenus dans le sous-sol. L'économie continentale, américaine en particulier, en sera la grande bénéficiaire[31].

C'est à partir de ces différentes composantes que s'orchestre le développement socio-économique du Saguenay—Lac-Saint-Jean. L'apport de la région à l'économie mondiale est d'ailleurs non négligeable puisque tour à tour, pour un temps au moins, celle-ci passe pour être le royaume des fourrures, le royaume du bois, le royaume des pâtes et papiers, le royaume de l'hydro-électricité et de l'aluminium[32]. Si la contrepartie de cette suprématie est l'étroite dépendance envers les marchés et les milieux financiers, la contribution des Saguenéens et des Jeannois reste toutefois indéniable dans le façonnement et le développement du milieu régional.

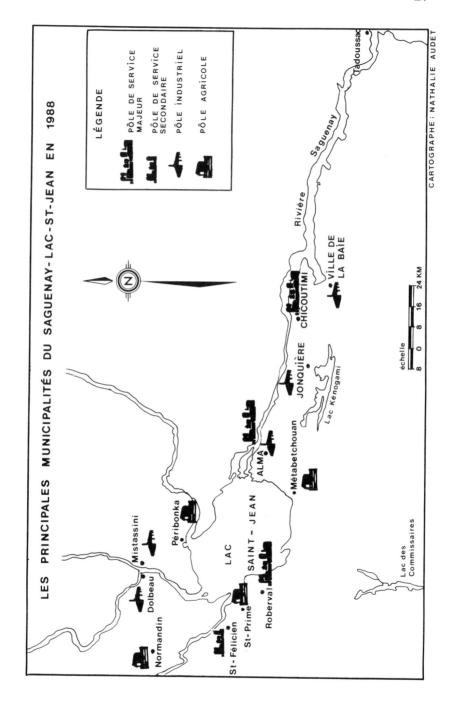

LES PRINCIPALES MUNICIPALITÉS DU SAGUENAY-LAC-ST-JEAN EN 1988

LÉGENDE

PÔLE DE SERVICE MAJEUR

PÔLE DE SERVICE SECONDAIRE

PÔLE INDUSTRIEL

PÔLE AGRICOLE

CARTOGRAPHE : NATHALIE AUDET

échelle

8 0 8 16 24 KM

Une population avant tout urbaine

Comprenant plus de 310 000 habitants en 1985, soit 4,7% de l'ensemble de la population du Québec, le Saguenay— Lac-Saint-Jean se présente comme la quatrième région de la province après celles de Montréal, de Québec et de Trois-Rivières[33]. Caractérisée par ses grands espaces, la région possède un niveau d'occupation très faible, soit à peine 2,5 habitants au kilomètre carré. Si on peut évoquer plusieurs facteurs pour expliquer ce phénomène, l'espace non occupé n'en joue pas moins un rôle important dans l'économie régionale. C'est là en effet que se localiseront les principales ressources naturelles qui sont à la base de son économie. Ainsi, l'écart existant entre le volume de la population et l'étendue spatiale peut davantage se comprendre[34]. Ce décalage renvoie du reste aux fondements historiques de l'évolution de la région puisque, dès la période des premiers contacts entre Européens et Amérindiens, ces derniers chercheront à s'opposer à la colonisation et à faire de la région une sorte de chasse gardée; entre le XVIIe et XIXe siècle, les compagnies de fourrures et les grands entrepreneurs forestiers feront de même.

Le fort taux d'urbanisation du Saguenay—Lac-Saint-Jean, évalué en 1985 à 75%, sera le deuxième trait de cette population[35]. La conurbation du Haut-Saguenay qui regroupe les villes de Chicoutimi, Jonquière et La Baie comprend, avec ses 140 000 habitants, un peu moins de la moitié de la population régionale. Les villes d'Alma, Roberval, Saint-Félicien, Dolbeau et Mistassini rassemblent quant à elles plus de 61 000 habitants, soit 20% des effectifs de la région. Le secteur rural se partage le reste de la population, les centres les plus importants se situant au sud du lac Saint-Jean, en l'occurrence à Notre-Dame-d'Hébertville, à Métabetchouan ainsi qu'à Saint-Prime, et à l'ouest, à Normandin.

Dissiminées en bandes le long des points d'eau du territoire, les soixante-trois municipalités du Saguenay—Lac-Saint-Jean forment la population la plus francophone du Québec avec un taux de 97,5%. Le nationalisme trouvera dans cette région, décrite au siècle dernier comme une «province dans la province», de fortes assises dans toutes les couches de la population. Cette spécificité linguistique en fait une région particulière à l'intérieur de l'ensemble québécois ou canadien. Certains anglophones joueront toutefois un rôle déterminant dans l'économie et auront tendance à former des ensembles autonomes et structurés comme à Port-Alfred, Arvida, Kénogami, Riverbend et Isle-Maligne. D'autres, par contre, se métisseront avec les Saguenéens ou les Amérindiens comme les Blackburn, les Murdock, les Robertson et les Kurtness[36].

Une structure économique à l'image de son évolution

Par ailleurs, si on regarde la répartition de la main-d'oeuvre active du Saguenay—Lac-Saint-Jean, c'est tout le poids de l'évolution de la région qui transparaît[37]. Alors qu'au siècle dernier le secteur primaire représentait la majorité des emplois, en 1983, il en fournissait 11,9% tandis que pour l'ensemble du Québec le taux se fixait à 4,5%.

Le secteur secondaire ou celui de la transformation occupe quant à lui, avec ses 400 entreprises, 22,3% de la main-d'oeuvre, suivant l'exemple du Québec. Parmi les quatre grands groupes, le secteur des métaux mobilise à lui seul près de la moitié des emplois, celui du papier et de la forêt suit avec 24,1%, le reste étant constitué par le secteur des aliments et boissons. Cette répartition traduit le faible degré de diversification d'un secteur manufacturier, fortement relié à l'exploitation des ressources naturelles de la région. Comme plus de 62% de cette production est expédiée hors du Québec, les aléas du marché, la conjoncture économique internationale et les changements technologiques jouent un rôle de premier plan dans l'équilibre ou le maintien des emplois.

Le secteur tertiaire enfin comprend, en 1983, 59,6% de la main-d'oeuvre alors que le taux était de 69% pour le Québec. Il est concentré dans la conurbation du Haut-Saguenay, à Chicoutimi principalement. Son essor date de la décennie 1960, au moment du fléchissement du secteur manufacturier. Bien que fortement articulé et organisé, ce secteur d'activité ne constitue pas un indice de soutien et de vitalité de l'économie régionale. Attestant au contraire le monolithisme ou l'hyperspécialisation du secteur manufacturier, il rend compte de l'emprise de la grande industrie sur les ressources et l'économie régionales[38].

Ce tableau de la population active et de la région reflète, avec un taux de chômage chronique de 12%, les principales caractéristiques du Saguenay—Lac-Saint-Jean[39]. Au moment où la grande industrie s'engage dans le virage technologique et que la concertation entre les différents intervenants du milieu s'intensifie, le recours à l'histoire assure une perspective et une mise en contexte essentielles à tous ceux que l'avenir de la région préoccupe et intéresse.

Orientations bibliographiques

Blanchard, Raoul, *L'Est du Canada français «Province de Québec»*, T.1, Paris—Montréal, Librairie Masson et cie—Librairie Beauchemin ltée, 1935, p. 7-155.

Boileau, Gilles, *Le Saguenay—Lac-Saint-Jean*, Québec, La Documentation québécoise, 1977, 175 p.

Lapointe, Adam, Paul Prévost et Jean-Paul Simard, *Économie régionale du Saguenay—Lac-Saint-Jean*, Chicoutimi, Gaëtan Morin éd., 1981, p. 73-123.

Chapitre II

L'APPORT DES AMÉRINDIENS
ET LA TRAITE DES FOURRURES

Par leurs connaissances et leur mode d'occupation du territoire, les Amérindiens ont tracé les premiers jalons du développement du Saguenay—Lac-Saint-Jean. Quand les Européens les abordent, dans la première moitié du XVIᵉ siècle, ils ont déjà une histoire de plusieurs millénaires derrière eux.

Bien qu'ils ne connaissent ni l'écriture ni l'agriculture, ils ont inventé un type de société dont l'équilibre avec la nature constitue le principal fondement de leur culture. Pratiquant une économie de subsistance, ils ont mis sur pied un important réseau de circulation et d'échanges avec d'autres nations amérindiennes. Les traiteurs français et anglais en tireront d'ailleurs profit à partir du XVIIᵉ siècle[1].

La période du contact avec les Européens puis celle de l'implantation du commerce des fourrures à l'intérieur du territoire correspondent pour eux, en définitive, à une véritable catastrophe culturelle, au déclin de leurs effectifs démographiques et à une dépendance de plus en plus grande à l'endroit des nouveaux occupants[2]. Ils demeureront pourtant au-delà d'un siècle et demi encore au centre de la vie et de l'activité commerciale de la région. Aussi, par leur attachement à la terre de leurs ancêtres, leur souci de sauvegarder son intégrité et leur participation à l'économie du

Nouveau Monde, les Amérindiens ont contribué à donner au Saguenay—Lac-Saint-Jean ses premiers traits d'identité. C'est à cet héritage qu'il convient de s'attarder, d'autant que la recherche historique et les découvertes archéologiques ont progressé rapidement ces dernières années et apportent un nouvel éclairage.

Les Montagnais: des nomades venus de loin

Lorsque le onze juin 1603 Champlain remonte, sur quatre kilomètres, la rivière Saguenay et signale une terre peu accueillante de «vrais deserts inhabitables d'animaux et d'oiseaux[3]», il ignore que, depuis 4000 ans avant notre ère, l'homme occupe ce territoire.

Liés à la tradition du Bouclier, ces Amérindiens seront désignés par les Français sous le nom de Montagnais. Selon l'archéologue Claude Chapdelaine, ils seraient venus au Saguenay par la côte nord du Saint-Laurent ou par les multiples voies de l'intérieur, comme celles de la Mistassini, du Saint-Maurice et de l'Outaouais. Bien que regroupés sous une appellation générique, les Montagnais étaient divisés en une douzaine de bandes, la plupart identifiées à leur territoire d'appartenance, tels les Tadoussacciens pour les habitants de Tadoussac, les Chicoutimiens pour les habitants de Chicoutimi, les Piékouagamiens ou Kakouchacks pour les habitants du Lac-Saint-Jean. On évalue leur nombre entre 1 500 et 3 000 au moment où s'établissent les premiers rapports avec les explorateurs européens[4] .

Robustes et de plus haute taille que les Français, agiles et endurants en forêt, les Montagnais étaient, selon Champlain et les missionnaires jésuites, un peuple doux et enjoué. Le père Pierre Laure, qui vivra dans la région entre 1720 et 1738, fait observer qu'ils passent le plus clair de «leur vie à manger, à rire et à se railler les uns des autres[5]». Vaillants, honnêtes et

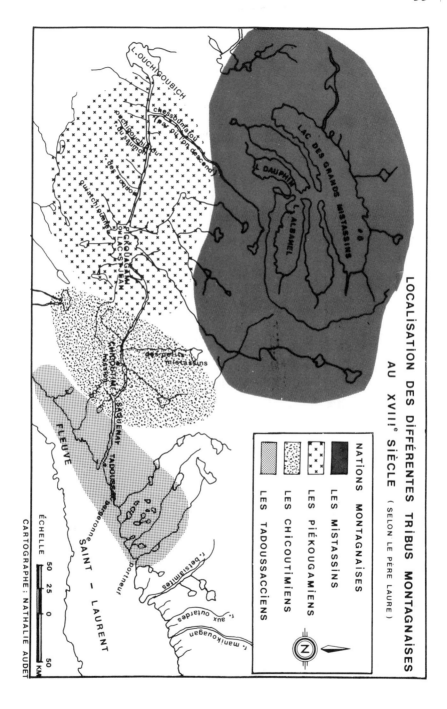

LOCALISATION DES DIFFÉRENTES TRIBUS MONTAGNAISES
AU XVIIIᵉ SIÈCLE (SELON LE PÈRE LAURE)

NATIONS MONTAGNAISES

LES MISTASSINS

LES PIÉKOUGAMIENS

LES CHICOUTIMIENS

LES TADOUSSACCIENS

ÉCHELLE

50   25   0   50
KM

CARTOGRAPHE : NATHALIE AUDET

hospitaliers, ils croyaient à l'existence d'un être suprême et à la survie de l'âme après la mort. Ces traits de caractère et de tempérament en feront une nation attachante aux yeux des Français. «S'il avait [de] la culture, écrit le père Paul Lejeune, [le Montagnais pourrait] se comparer à l'Européen le plus normal[6]».

Les Amérindiens du Saguenay—Lac-Saint-Jean étaient nomades comme les autres membres de la famille algonquienne qui habitaient les forêts boréale et subarctique du Québec. Contrairement aux Iroquoïens qui vivaient en sédentaires dans la vallée laurentienne et dans la région des Grands Lacs, ils pratiquaient la chasse pendant l'hiver, le pêche et la cueillette de fruits sauvages, pendant l'été. Leur mode de vie était intimement lié au cycle des saisons.

Leurs lieux d'établissement traduisent cette dichotomie. Pendant l'été, les Montagnais campaient toujours au confluent des cours d'eau, à l'abri des vents dominants et dans les zones sablonneuses, tandis que, l'hiver, ils se retrouvaient souvent à l'intérieur des terres, en bordure des montagnes et dans les grands secteurs giboyeux où abondaient notamment l'orignal, le caribou et le castor[7].

La localisation des campements d'hiver donnera d'ailleurs beaucoup de difficulté aux archéologues; ceux d'été seront plus faciles à repérer. Établis en des points stratégiques compris entre le fleuve Saint-Laurent et la baie James, ils se retrouvent éparpillés depuis les lacs Nicabau et Mistassini et la rivière Ashuapmushuan, en passant par l'embouchure de la rivière Métabetchouane et les îles d'Alma, le confluent des rivières Chicoutimi et Saguenay jusqu'à Tadoussac. Ces établissements se présentaient non seulement comme des lieux de subsistance, mais comme des endroits de rassemblement pour discuter des affaires de la bande et pour tenir les grandes foires commerciales avec les autres nations amérindiennes.

La Grande Décharge, ANQ-C, Fonds Livernois.

À l'occasion de ces rassemblements, les nations du Sud venaient échanger du tabac, du maïs, des poteries, des coquillages et du matériel lithique contre les produits des nations du Nord, les peaux d'orignaux et de castors, utilisées dans la fabrication des tentes et des vêtements, et l'écorce de bouleau pour les canots[8]. Le campement de Chicoutimi est assurément le plus intéressant de ce point de vue puisque, à l'instar de l'Anse-aux-Pilotes au sud des Grandes-Bergeronnes, des groupes iroquoïens y séjourneront pendant plusieurs saisons, comme en témoignent les tessons et les objets de céramique trouvés sur le site[9].

La boîte à outils des Amérindiens...
Collection J.-F. Moreau...

Grâce aux recherches récentes des archéologues, on peut aujourd'hui facilement recréer l'atmosphère bourdonnante d'activités de ces lieux de campement[10]. Aux activités de subsistance qui prenaient une grande place s'ajoutaient les tâches domestiques, le traitement des peaux, la confection des

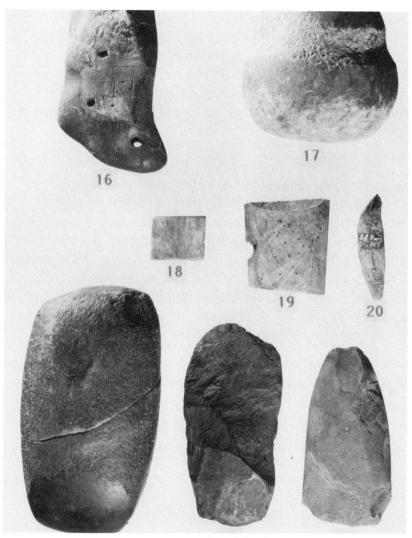

...au temps de la préhistoire,
...et J. Girard.

vêtements, la cuisson des aliments, la taille de la pierre, le travail du bois et de l'écorce, les activités ludiques et le commerce. Comme la région était bien pourvue en biomasse, l'alimentation était variée et abondante. Les Montagnais accordaient toutefois leur préférence au castor. Chez ces

Amérindiens, il existait une répartition des rôles entre l'homme et la femme; le premier s'occupait de la chasse, de la pêche, de la taille de la pierre et de la coupe du bois, la seconde, de la préparation de la nourriture, de la cueillette et des vêtements. L'éducation des enfants était du ressort commun et les grands-parents veillaient à la transmission des traditions[11].

Groupe en plein essor démographique[12], les Montagnais sauront tirer avantage de leur position stratégique à l'embouchure du Saguenay lorsque, au début du XVIe siècle, les Européens commenceront à circuler dans l'estuaire du Saint-Laurent. Participant déjà à un vaste réseau d'échanges avec d'autres groupes amérindiens depuis l'Outaouais, l'Abitibi et la Côte-Nord, habiles à pratiquer l'art de la chasse, ils se révélaient, pour les trafiquants français installés dans le havre de Tadoussac, de précieux intermédiaires pour implanter le commerce des fourrures dans le Nouveau Monde.

La naissance d'une alliance

C'est autour de 1526 qu'on fait état pour la première fois de la présence de morutiers et de baleiniers européens dans le Saint-Laurent. Atteignant peu à peu l'estuaire, ces Français, venus de Normandie, de Bretagne, de La Rochelle et du Pays Basque, parviennent bientôt à Tadoussac où déjà avant 1550 ils ancraient leurs navires[13].

À l'époque, la baleine et la morue sont grandement recherchées sur les marchés européens, l'une étant utilisée comme condiment ainsi que pour l'éclairage, l'autre servant à répondre aux prescriptions du calendrier liturgique qui comporte alors 150 jours maigres. Étant donné que ces activités se pratiquent sur de longues saisons, qu'elles commandent de grands équipages et l'installation sur la terre ferme de fourneaux pour extraire l'huile des baleines et d'échafauds pour faire sécher la morue, les pêcheurs sont donc les premiers à entrer en contact avec la population autochtone[14].

Si, au début de leurs relations avec les Montagnais, les fourrures s'avèrent un objet exotique et sans grande valeur économique, deux événements contribuent à entraîner un changement rapide du comportement des Français. L'abandon des lois somptuaires qui réservaient le port de fourrures à la seule classe noble de la société et la découverte, par les chapeliers français, du lustre et de la rareté du duvet de castor favorisent l'essor de ce commerce. Activité moins rude et plus lucrative, la traite des fourrures s'établit ainsi solidement dans le Saint-Laurent. En permettant à la métropole française de tirer partie des voyages de Cartier, elle justifie sa présence en Amérique et la mise en place d'une colonie de peuplement[15].

C'est à cause de ce commerce que Tadoussac et les Montagnais de la région joueront un rôle de premier plan dans l'histoire de la jeune colonie. Point d'aboutissement des anciennes routes amérindiennes où se tenait chaque été une importante foire commerciale pouvant réunir entre 1 200 et 1 500 Amérindiens de toutes nations, Tadoussac était en même temps le premier port du nord-est de l'Amérique où abordaient les navires en provenance de l'Europe. Pour les commerçants français, l'endroit ne pouvait donc être mieux choisi pour pratiquer la traite, d'autant plus que le produit recherché, le castor notamment, se révélait le mets favori des Montagnais[16].

Tout en se moquant de la passion des Français pour la peau de cet animal[17], les Montagnais trouvent dans les articles européens une source d'attrait et de motivation. Une sorte d'accord implicite en découle: les Montagnais acceptent d'approvisionner les trafiquants français en fourrure, mais ils demandent en retour le respect de leur autonomie territo-

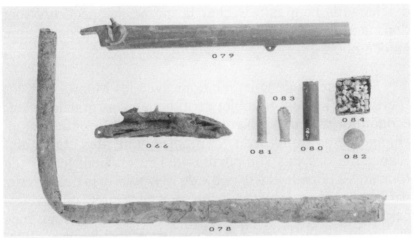

Arme à feu...
Collection J.-F. Moreau...

riale. Ainsi, ils exercent une forme de pouvoir et de suprématie sur les autres nations. C'est par leur entremise que les instruments de fer, les haches, les couteaux, les marmites, les alênes et les autres produits de l'industrie circulent dans l'arrière-pays, depuis Tadoussac jusqu'à l'Outaouais, pendant que les fourrures parcourent le chemin inverse[18].

C'est surtout pour une question d'utilité que les Amérindiens recherchent tant les articles européens. Plus performants et plus résistants que leurs produits artisanaux, ces articles remplacent progressivement les objets en céramique et en matériel lithique. Les armes à feu vendues en contrebande, les chaloupes et les étoffes suscitent aussi leur convoitise. En revanche, pour répondre aux besoins sans cesse croissants des traiteurs, les Montagnais mettent sur pied une classe de chasseurs commerçants. Chargés de rencontrer les peuples de l'intérieur sur leurs territoires de chasse avant la débâcle du printemps, ces derniers échangent les fourrures contre des marchandises européennes et rapportent le produit de leur traite aux marchands postés à Tadoussac[19].

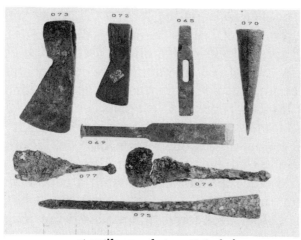

...et outils pour le travail du bois,
...et J. Girard.

Inévitablement, tant du côté des commerçants européens que du côté des Amérindiens, la compétition et la concurrence apparaissent. Si, pour les commerçants, ces rivalités aboutissent, le vingt-deux novembre 1599, à l'instauration d'un monopole, celui de Pierre Chauvin, elles sont, pour les Amérindiens, à l'origine des «guerres iroquoises». Aux yeux des Montagnais et de leurs alliés les Algonquins et les Etchemins, le peuple iroquoïen constitue, par sa présence dans la vallée du Saint-Laurent, un véritable obstacle à l'expansion du commerce. Il contrôle, par Stadaconé et Hochelaga, la route fluviale et l'accès aux riches réservoirs pelletiers des Grands Lacs, forçant ainsi les autres à emprunter des voies secondaires, parsemées de portages, pour accéder aux territoires situés du côté de la baie Georgienne. Mieux armés et davantage outillés, détenant une emprise sur tout l'arrière-pays de l'axe laurentien, les Montagnais et leurs alliés auraient alors, selon certaines hypothèses, provoqué une scission au sein de la famille iroquoïenne. Par la suite, après une alliance avec les Hurons vers 1570, ils auraient évincé peu à peu les Iroquois du Saint-Laurent en les refoulant jusqu'aux sources de la rivière Richelieu et dans la région des lacs Érié et Ontario[20].

C'est pour ces raisons que, lorsque Champlain remonte le Saint-Laurent en 1603, il trouve un pays différent de celui que décrit Cartier en 1535. Si le climat a changé, c'est que la colonie se trouve en pleine guerre commerciale pour déterminer qui, parmi les Amérindiens, approvisionneront en fourrures les Européens[21]. C'est dans ces circonstances que survient la fameuse rencontre des vingt-six et vingt-sept mai 1603 à la Pointe-aux-Alouettes, en face de Tadoussac, qui rend officielle l'alliance entre la famille algonquienne et les Français de Nouvelle-France. Quand, à cette occasion, le grand chef montagnais Anadabijou autorise Champlain à peupler la colonie, les terres auxquelles il fait référence ne sont pas celles du Saguenay, mais celles de l'ancien pays iroquoïen qu'il vient de conquérir avec ses amis. En revanche, en demandant à Champlain sa protection et son assistance pour combattre leurs ennemis qui reçoivent l'appui des Anglais et des Hollandais, Anadabijou ne poursuit pas d'autre but que de conserver et de protéger le monopole des alliés dans la traite des fourrures[22].

De fait, avec la fondation de Québec en 1608, le commerce des fourrures connaît un nouvel essor. Il s'intensifie d'ailleurs lorsque les Hurons s'instituent eux-mêmes intermédiaires entre les Français et les nations circonvoisines des Grands Lacs. En sens inverse toutefois, ce déplacement du centre de gravité du commerce met en veilleuse le comptoir de Tadoussac, ainsi que l'importance des Montagnais en tant que principaux agents du commerce. En 1615 et en 1626, notamment, Champlain et le père Charles Lalemant donnent des indications qui confirment ce repliement de la route des fourrures du Saguenay[23].

Dans le même temps, les effets négatifs engendrés par le commerce commencent à se faire sentir du côté des Montagnais. La petite vérole décime la population; la famine et la misère apparaissent à la suite d'une surexploitation des animaux à fourrure causée par l'avidité des marchands et par l'emploi de pièges et de fusils de chasse. Devant la gravité de la situation, les missionnaires proposent à leurs supérieurs la sédentarisation des Montagnais et l'adoption de mesures pour la conservation de la faune. N'étant plus assez nombreux pour assurer la relève du commerce, les Montagnais conviennent, pour leur part, d'ouvrir leur territoire aux nations voisines. On note à compter de 1641 un mouvement d'immigration et d'exogamie qui se prolonge sur plusieurs décennies[24].

La destruction de la Huronie par les Iroquois en 1649 et la présence de plus en plus marquée de marchands anglais à la baie d'Hudson obligent les Français à mettre un terme à la chasse gardée montagnaise[25]. D'abord en 1652, Jean de Lauzon, gouverneur de la Nouvelle-France, décrète l'expropriation de leur territoire au bénéfice de la colonie. La Traite de Tadoussac est dès lors instituée dont les revenus tirés de l'affermage serviront à couvrir «les charges du pays», les appointements du gouverneur et de ses conseillers, les frais d'entretien de la garnison de même que la pension annuelle versée aux Jésuites, aux Hospitalières et aux Ursulines[26]. Ensuite, dans le but de redonner vie au commerce et d'éviter que les Montagnais aillent troquer leurs fourrures, comme les Algonquins, du côté de la baie d'Hudson avec les Anglais qui offrent des marchandises plus diversifiées, plus abondantes et de meilleure qualité, les Français se lancent au-devant des Amérindiens en établissant, dans le dernier quart du XVIIᵉ siècle, une douzaine d'avant-postes connus plus tard sous le nom de Postes du Roi[27]. Ces décisions mettent ainsi fin à plusieurs millénaires d'autonomie territoriale et contribuent à faire entrer le Saguenay—Lac-Saint-Jean dans l'âge du comptoir.

La route des fourrures

Produits du capitalisme marchand, les Postes du Roi prennent appui, en premier lieu, sur le bassin nord-ouest de la rivière Saguenay qui, avec son réseau d'affluents, se présente comme «la plus belle voie de pénétration vers l'intérieur», le long de la rive gauche du Saint-Laurent. Entre Tadoussac en aval et le lac Mistassini en amont, il faut compter, au XVIIe siècle, une vingtaine de jours en canot, selon le père Gabriel Druillettes, pour effectuer le trajet long de 400 kilomètres[28].

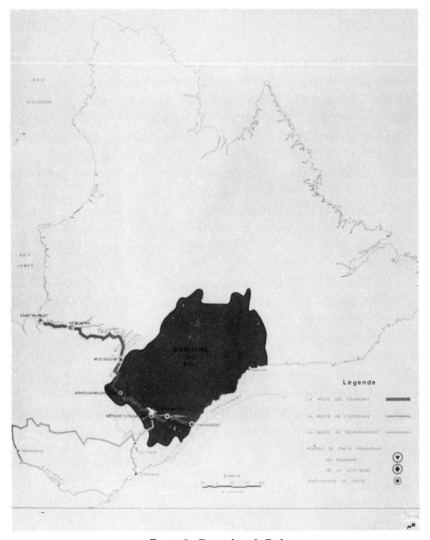

Carte du Domaine du Roi

47

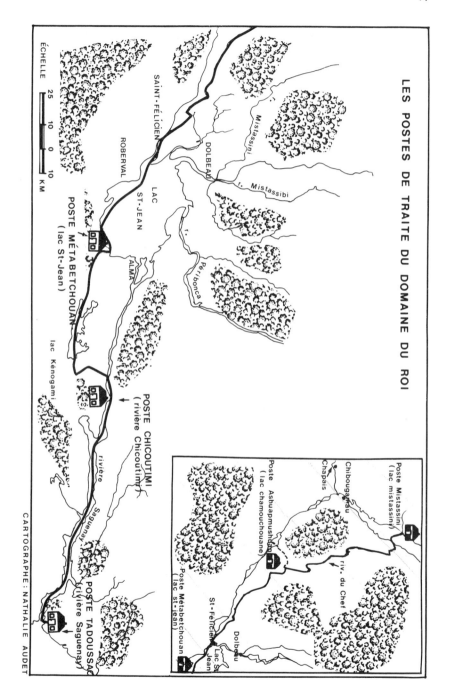

LES POSTES DE TRAITE DU DOMAINE DU ROI

ÉCHELLE

25   10   0   10
KM

SAINT-FÉLICIEN

ROBERVAL

LAC ST-JEAN

DOLBEAU

Mistassini

r. Mistassibi

Péribonca

ALMA

POSTE MÉTABETCHOUAN
(lac St-Jean)

lac Kénogami

POSTE CHICOUTIMI
(rivière Chicoutimi)

rivière

Saguenay

POSTE TADOUSSAC
(rivière Saguenay)

Poste Mistassini
(lac mistassini)

Chibougamau

Chapais

Poste Ashuapmushuan
(lac chamouchouane)

riv. du Chef

St-Félicien

Dolbeau

Lac St-Jean

Poste Métabetchouan
(lac st-jean)

CARTOGRAPHE : NATHALIE AUDET

Comme les arrêts qui scandent aujourd'hui le déplacement des voyageurs, des haltes ou des relais se dressent alors sur la ligne du parcours. Véritable lieu de repos, de rencontre et de ravitaillement, une première station, après le départ de Tadoussac, marquait ainsi la route du Saguenay. Située sur le versant ouest de l'embouchure de la rivière Chicoutimi, elle correspond au terme de la navigation maritime et au début d'une série de six portages aboutissant vers le sud au lac Kénogami. De là, par la Belle Rivière, cette route conduit au lac Saint-Jean où, à la sortie de la rivière Métabetchouane, est implantée une autre station. Commence dès lors, en longeant la rive sud, la longue remontée du lac, de l'Ashuapmushuan et de la Chigoubiche en direction de Nicabau. Placé sur la ligne de partage des eaux du lac Saint-Jean, du Saint-Maurice et du lac Mistassini, cet endroit est la dernière halte, la dernière station avant d'atteindre, par la Rupert, les hauteurs de la baie James et de la baie d'Hudson[29].

Composant une chaîne continue, essentielle à l'implantation, à l'organisation et à l'essor du commerce, ces points d'ancrage préhistoriques fixeront les Postes du Roi. En 1676, les comptoirs de Chicoutimi et de Métabetchouan sont établis; en 1679, à la suite de l'expédition de Louis Jolliet au grand lac Mistassini, la maison française et le poste de Nemiskau sont inaugurés ; enfin, vers 1683, le commerce est introduit du côté de Nicabau et de l'Ashuapmushuan. Outre le comptoir de Tadoussac, le plus ancien de tous et dont un essai de reconstitution a été réalisé en 1942 grâce au soutien financier de William Coverdale, d'autres sont érigés sur le versant nord du Saint-Laurent, depuis La Malbaie, les Islets-Jérémie, la baie des Papinachois, Godbout, Portneuf jusqu'à Sept-Îles et la rivière Moisy. La pêche et la chasse au loup marin contribueront, en plus des fourrures, à la prospérité de ces postes[30].

En raison de l'immensité du territoire et du manque de personnel affecté à chacun des comptoirs, la surveillance des diverses voies d'accès est extrêmement difficile à assurer. Entre 1652 et 1720, les intendants de la Nouvelle-France émettent des ordonnances afin d'éliminer la contrebande ou le «coulage du castor» au profit d'intérêts étrangers aux bailleurs de la traite[31]. Cette action s'avère vaine. En 1724, les marchands des Trois-Rivières, de Batiscan et de Champlain profitent encore du dégel plus hâtif de leurs cours d'eau pour envoyer des bandes d'Algonquins et d'Abénakis chasser illégalement les animaux à fourrures du côté du lac Saint-Jean et de Nicabau. Le vingt-trois mai 1733, dans le but de mieux définir les frontières de la Traite de Tadoussac, l'intendant Gilles Hocquart émet une ordonnance en se basant sur le relevé d'arpentage de Laurent Normandin[32]. Ces frontières correspondent, approximativement, aux anciennes limites montagnaises et resteront en vigueur pendant plus d'un siècle.

Présences permanentes auprès des Montagnais, ces postes assurent des fonctions commerciales, religieuses, résidentielles et agricoles. Seuls éléments de civilisation européenne sur des kilomètres de forêt et d'eau, ils n'ont cependant ni la même importance ni la même évolution[33]. Marqués par le jeu de la concurrence ou les aléas du marché et par l'imprévisibilité quasi légendaire des Montagnais, ils forment, en raison de leur différente localisation, deux entités, deux blocs avec chacun à sa tête un poste central qui dépend tantôt de Québec, au temps du régime français, tantôt de Montréal, de Lachine et de Winnipeg, au temps du régime anglais. C'est ainsi que, après 1694, le comptoir de Chicoutimi s'affirme comme l'entrepôt et le centre nerveux du commerce intérieur pour l'axe Saguenay—baie d'Hudson, tandis que Tadoussac joue un rôle similaire pour l'axe Côte-Nord—Charlevoix.

Modelés sur le statut de la chasse gardée montagnaise, les Postes du Roi se présentent comme un domaine fermé et interdit à la colonisation[34]. Affermés à l'enchère publique, ils relèvent des grands marchands pelletiers et des grandes compagnies engagées à travers le pays dans le commerce. L'exploitation des fourrures constitue la première forme d'appropriation d'une ressource régionale au profit d'une métropole. La pratique de ce commerce et la faiblesse de ses retombées sur le milieu auront, à long terme, une forte incidence sur le modèle de développement que connaîtra la région. Ainsi, toute l'idée d'une «région à part», d'une «région oubliée» tiendra beaucoup dans le statut particulier qui lui aura été conféré durant la seconde moitié du XVIIᵉ siècle. Maintenu en marge de la Nouvelle-France et du Bas-Canada par les différents bailleurs de la Traite, le Saguenay—Lac-Saint-Jean voit sa vocation de «région-ressource» émerger de là.

Entre 1652 et 1859, où prend fin officiellement le bail des Postes du Roi, trois périodes transparaissent dans l'évolution du commerce. La première, qui s'étend de 1652 à 1674, voit l'âge d'or de Tadoussac et des marchands métropolitains, ceux de La Rochelle et de Rouen en particulier. Certains dirigeants de la Communauté des habitants se voient également adjuger la traite et réalisent d'importants bénéfices. C'est le cas notamment de Jean Jûchereau de Maur qui, en 1660, profite du mariage de Louis XIV pour vendre de nombreuses peaux aux grands chapeliers de la Cour[35].

La deuxième période, qui couvre les années 1674-1755, est marquée par une plus grande implication de la bourgeoisie d'affaires de Québec. Une quinzaine de locataires, dont Charles Aubert de La Chesnaye, Charles Bazire, Denis Riverin, François-Étienne Cugnet et Marie-Anne Barbel veuve Fornel, s'adonnent à tour de rôle, et pour de courtes périodes, à l'exploitation des Postes[36]. Si les années 1676 à 1700 coïncident avec le fondation et la mise en place d'un réseau de cmptoirs, les vingt années suivantes sont véritablement désastreuses pour le développement du commerce. Pressé de tirer rapidement des profits sur son bail, Denis Riverin utilise

Tableau-synthèse de l'évolution
de la Traite de Tadoussac
à travers ses principaux locataires

1 1580-1674 Primauté des marchands métropolitains	2 1674-1755 Prolifération des fermiers et sous-fermiers	3 1755-1860 Prépondérance de la N.W.C. et de la H.B.C.
1652-1658 Bourdon et Lespinay	1675-1681 Le Chesnaye et Bazire	1762-1786 John Gray et Ths Dunn
1658-1663 Jean Jûchereau de Maur	1681-1685 Denis Riverin	1786-1802 Alex et George Davison, François Baby, sous loué à la North West Company
1663-1674 La Chesnaye	1685-1698 La Chesnaye	1802-1821 North West Company
	1698-1701 Pierre Dupont et Charles Perthuits	1821-1822 Hudson's Bay Company
	1701-1709 Denis Riverin et François Hazeur	1822-1823 James Goudie
	1710-1714 Denis Riverin et Charles Guillemin	1823 James Goudie et McDouall
	1714-1718 Charles Guillemin	1824-1831 William Lampson
	1719-1749 Frs-Étienne Cugnet	1831-1842 Hudson's Bay Company
	1749-1755 Marie-Anne Barbel (veuve Fornel), François Havy et Louis Bazil	1842-1859 Hudson's Bay Company

différents procédés reconnus comme illégaux, tels que l'utilisation de l'eau-de-vie et l'engagement de Non-Montagnais, pour approvisionner ses comptoirs en fourrures. Les Abénakis se livrent à une chasse si intensive qu'ils hâtent notamment la disparition des orignaux. Causant la famine, le décès et la désolation parmi les Montagnais, cette surexploitation entraîne la ruine de la Traite. Les bailleurs successifs sont alors obligés, entre 1720 et 1755, de refaire le «fonds du pays» et de rétablir les hivernements pour rentabiliser à nouveau l'exploitation du domaine[37].

La troisième période s'échelonne sur plus d'un siècle, soit de 1755 à 1859. À la suite du changement d'allégeance, à la conquête anglaise, les anglophones exercent maintenant l'autorité exclusive sur le commerce des fourrures dans les Postes du Roi. À la demande des Montagnais qui veulent protéger leurs terres de la colonisation, et dans l'intérêt du commerce, le gouvernement britannique adopte comme à l'époque des Français le système des affermages[38]. Deux grandes compagnies, la North West Company et la Hudson's Bay Company, contribuent principalement à maintenir les activités dans les Postes. La durée de leur location varie selon des périodes pouvant aller jusqu'à vingt ans. Surtout concentré aux comptoirs de Tadoussac, de Chicoutimi et de Métabetchouan, le commerce tendra à diminuer avec les années; l'épuisement de la faune et la réduction du nombre des chasseurs expliquent ce phénomène. Aussi, avec le mouvement de pression en faveur de la colonisation et l'implantation de l'industrie forestière dans la région, en 1837-1838, les droits accordés aux compagnies sont de plus en plus réduits. C'est pourquoi, en 1842, la Hudson's Bay Company voit son monopole sur les Postes du Roi confiné au domaine de la chasse et de la pêche avant d'être complètement supprimé par le gouvernement en 1859[39]. Continuant tout de même à transiger la fourrure avec les Montagnais, de même qu'avec les nouveaux venus que sont les bûcherons, les colons et les marchands, la Hudson's Bay

Company, par le biais de ses magasins et de ses commis, perpétue, dans la seconde moitié du XIXe et au XXe siècles, ce mode de vie et de commerce toujours présent à l'intérieur de l'économie régionale.

L'organisation de la traite

Comme en Nouvelle-France et au Bas-Canada, le commerce des fourrures pratiqué dans les Postes du Roi exige l'implication et l'interaction de plusieurs intervenants. Entre le locataire en aval, qui détient du pouvoir royal ou du gouvernement le monopole de la traite, et l'Amérindien en amont, qui fournit la fourrure et les pelleteries, il existe plusieurs intermédiaires.

Le locataire d'abord. Appartenant au groupe des grands marchands de la Place Royale ou des grandes compagnies de commerce, il est en relation constante avec les fournisseurs ainsi qu'avec les chapeliers et les fourreurs métropolitains qui ont leur siège social à Rouen, à Paris ou à Londres[40]. Il est impliqué dans les affaires, dans plusieurs régions en même temps, et, pour lui, l'exploitation des postes équivaut à des investissements importants. En plus de payer le prix de l'affermage, quelque 10 000 à 12 000 £ entre 1698 et 1750, il doit rembourser son prédécesseur pour les bâtiments, la marchandise en magasins et les «dettes des sauvages»[41]. Il lui faut ensuite renouveler l'inventaire, payer les gages de ses employés et les frais de bateaux et d'équipages pour le transport des provisions et des ballots de fourrures. Enfin, il doit prévoir un montant pour les présents et les festins destinés aux Montagnais et pour le coût d'établissement, d'entretien et de déplacement des missionnaires. Au total, l'exploitation des Postes du Roi exige donc du locataire des déboursés appréciables, mais les revenus qu'il en récoltera viendront compenser ses dépenses d'immobilisation et de fonctionnement. Jean-Baptiste Cugnet, par exemple, s'en tire avec des bénéfices nets de 110 000 £ au cours des dix ans de son administration, ce qui lui permet de figurer parmi les plus riches marchands de la colonie[42].

Pour opérer les Postes du Roi, le locataire s'appuie par ailleurs sur une main-d'oeuvre nombreuse et expérimentée, quelque 50 hommes au temps de Cugnet (1719-1749) et entre de 60 et 200 au temps de Lampson (1824-1831). En tête de liste de ces travailleurs vient le commis. C'est lui qui a la responsabilité directe du fonctionnement du poste et de la traite. Comme ses charges sont élevées, son salaire est en équipollence, soit quelque 800 £ à Chicoutimi, 600 £ à Tadoussac et à Mistassini, en 1733. Après le commis, viennent les ouvriers spécialisés, tels les armuriers, qui reçoivent un traitement de 400 £ et les engagés qui s'occupent de l'entretien des bâtiments et dont le salaire varie autour de 250 £[43].

Si ce petit échantillonnage des professions fait ressortir l'organisation du commerce dans les comptoirs, il permet aussi de voir toute la stratégie que doit déployer le personnel de ces postes afin d'y attirer les Amérindiens. Outre les missionnaires qui, comme le père Albanel et le père de Crespieul, jouent, par la sympathie à leur endroit, un rôle déterminant en ce sens[44], les hivernements contribuent pour beaucoup au succès de la traite. Bien qu'onéreux pour le locataire, ils étaient d'une grande utilité. Créant une permanence et une présence rassurante auprès des Montagnais, ces hivernements permettent aussi d'éviter la contrebande ou la venue illégale de trafiquants dans les Postes du Roi. La qualité des marchandises et les facilités de crédit constituent également des éléments décisifs dans la réussite de la traite. Toutes ces attentions comptent énormément pour les Montagnais. Elles prennent une large place dans les différentes requêtes adressées au gouvernement et reflètent ainsi les préoccupations des Amérindiens et leur volonté d'améliorer leurs conditions par le commerce[45].

Au demeurant, la traite avait lieu deux fois au cours de l'été, soit en juin et en août, suivant l'arrivée des bateaux et des canots de marchandises. Précédée de tout un rituel fait de banquets et de présents, elle s'échelonnait sur une période de cinq à six jours pendant lesquels le missionnaire administrait les sacrements de baptême, de mariage et de pénitence. Contre ses sacs de fourrures constitués de peaux de castor, de martre, de loup-cervier, de renard, de caribou ou d'orignal, résultats de près de sept longs mois de travail, l'Amérindien pouvait alors se procurer auprès du commis, après déduction de ses avances, fusils, couteaux, haches, fers de flèches, alênes et aiguilles, capots, couvertures, pipes de plâtre et tabac, certains objets de fantaisie, comme des miroirs et des colliers de porcelaine, et la nourriture, comme de la farine, des pois ou du thé[46].

Contrairement à l'idée répandue, les Montagnais se montraient, selon Champlain, très «retors et malins» pour troquer avec les Européens. En 1611 comme en 1673, ils créent non seulement une rareté artificielle dans les fourrures et les pelleteries afin de faire remonter le prix de vente, mais ils attendent que les bateaux soient plus nombreux à Tadoussac avant d'entreprendre des échanges avec les marchands[47]. À la fin du XVIIe siècle, de même qu'aux XVIIIe et XIXe siècles, à l'exemple de Marie Galiope[48], une des premières femmes d'affaires amérindiennes du Québec, les Montagnais ne se gênent pas pour se tourner vers les comptoirs des Trois-Rivières et de Québec pour commercer. Les commis des postes doivent manifester une grande vigilance à cet égard et user de stratagèmes pour garder par devers eux les trappeurs montagnais quand les bateaux ou les canots tardent à rentrer de Québec ou de Montréal.

Si certains historiens ont pu détecter dans le commerce des fourrures un échange inégal entre Amérindiens et commerçants alors que d'autres au contraire ont noté une remarquable fixité des prix pour les marchandises troquées, il faut considérer que la «valeur d'un objet ne doit pas dépendre seulement de son prix de revient mais de son utilité et de la convoitise qu'il suscite[49]». C'est dans cette perspective qu'il faut, selon nous, comprendre la pénétration du matériel européen dans le paysage saguenéen.

La vie dans un poste au début du XIXᵉ siècle

Point de rencontre de deux civilisations, le poste de traite exige de la part de son personnel un esprit d'endurance, de renoncement, d'adaptation et la capacité de s'en tenir au minimum de besoins matériels[50]. Les archives de la Hudson's Bay conservées à Winnipeg offrent une belle illustration de cette vie au ras du sol, fondée sur la nature, le contact avec les Amérindiens et le déroulement des saisons, comme elle était vécue à Chicoutimi[51].

Pour les Montagnais, si la période hivernale correspond à celle de la chasse, pour les huit à dix habitants du poste, elle signifie, entre 1800 et 1804, une saison de solitude et d'isolement. Vivant en circuit fermé dans la grande maison construite en 1795, les employés s'adonnent à la chasse au petit gibier, à la fabrication de la bière d'épinette et à la coupe du bois pour se chauffer. À l'occasion, le commis accueille un Amérindien malade, blessé ou à court de munitions. Cet isolement n'empêche certes pas de fêter le Nouvel An ou d'aller visiter, aux Terres-Rompues, la famille de François Verreault, mais la vie au cours de cette période se déroule comme au ralenti.

L'avènement du printemps, au contraire, coïncide avec la reprise des activités commerciales. À la fin des sucres et à mesure que les glaces craquent et glissent vers l'embouchure du Saguenay, le personnel du poste vaque aux derniers préparatifs pour accueillir les chasseurs et le bateau. C'est pendant cette période que Neil McLaren, le commis de

Le poste de traite de Chicoutimi vers 1750,
ministère des Communications du Québec.

Chicoutimi, prépare l'expédition des fourrures accumulées tout au cours de l'hiver. À l'arrivée de la première goélette, les Amérindiens ont déjà dressé leur campement. En une journée, les hommes déchargent les cargaisons et rangent le matériel. Une partie va dans le magasin et l'autre, par paquets, sera dirigée vers les postes de la Métabetchouane et de l'Ashuapmushuan. Lorsque le travail est terminé, les fourrures sont transportées à bord du bateau qui n'a plus qu'à attendre un vent favorable pour mettre le cap sur Québec.

Au début de l'été, pendant la brève période de la traite, le personnel s'affaire à trier et à emballer les peaux reçues et à les embarquer à bord des goélettes. Par la suite, les travaux horticoles et agricoles prennent une plus grande place. C'est à l'Anse-au-Foin (aujourd'hui Saint-Fulgence) que les employés se rendent pour chercher le foin sauvage nécessaire aux animaux de la ferme. La saison estivale est également marquée par la pêche, la cueillette de fruits sauvages et la visite du missionnaire ou des agents de la compagnie. À chacune de ces rencontres, le poste de traite prend des allures de fête.

Comme l'automne correspond au retour des Amérindiens vers leurs territoires de chasse, cette saison est toujours ponctuée par une nouvelle période d'échanges afin de réunir les biens nécessaires à ce séjour prolongé à l'intérieur des terres. Les employés du poste en profitent, en outre, pour réparer les bâtiments, calfeutrer les portes et les fenêtres, et pour faire boucherie. Avec la fin de cette saison, un nouveau cycle recommence; il en sera ainsi jusqu'à la colonisation.

La fondation de la réserve de Pointe-Bleue

C'est par leurs activités dans le commerce des fourrures en tant qu'agents de la Hudson's Bay Company que les futurs colonisateurs et les industriels de la région, tels Thomas Simard pour la Grande-Baie et Peter McLeod pour Chicoutimi, vivront de l'intérieur le déclin de la traite et constateront les grandes possibilités agricoles et forestières de l'ancienne chasse gardée montagnaise[52]. L'important recul du commerce, observé dès 1835, se vérifie au niveau des statistiques d'exportation: pendant que les Postes du Roi produisaient 6 546 peaux de castor en 1817, les expéditions n'atteignaient plus que 2 540 peaux en 1841[53]. De plus, la population montagnaise est de moins en moins nombreuse. Au milieu du XIXe siècle, elle s'élève tout au plus à 200 personnes dont plusieurs sont dans un état lamentable et déplorable[54]. L'abbé François Pilote qui parcourt les terres du Saguenay et du Lac-Saint-Jean, écrit à ce sujet, en 1851:

> On peut appliquer aux Montagnais ce que Chateaubriand disait des sauvages de l'Amérique: en général la civilisation, en entrant par le commerce chez les tribus américaines, au lieu de développer leur intelligence, les a abruties. L'indien est devenu perfide, intéressé, menteur, dissolu : sa cabane est un réceptacle d'immondices et d'ordures. Quand il était nu ou couvert de peaux de

bêtes, il avait quelque chose de fier et de grand; aujourd'hui, des haillons européens, sans couvrir sa nudité, attestent seulement sa misère. C'est un mendiant à la porte d'un comptoir; ce n'est plus un sauvage dans ses forêts[55].

*Peter McLeod et trois chefs montagnais,
tableau de Théophile Hamel, 1848.*

Numériquement faibles, réduits au paupérisme, les Montagnais, compte tenu de leur situation, ne pourront s'opposer au mouvement de conquête du sol qui s'amorce à partir de Charlevoix avec l'industrie forestière en même temps que naissent les troubles de 1837-1838. Aussi, n'auront-ils pas d'autre choix que d'essayer de composer avec ce mouvement en demandant eux-mêmes des terres au gouvernement. En 1848, ils s'adressent à Lord Elgin pour obtenir des lots situés en bordure de la Péribonca et de la Grande Décharge; en 1851-1852, ils revendiquent les terres au sud-est du lac Saint-Jean exploitées par les hommes du curé Hébert[56].

Avec le refoulement du commerce de Chicoutimi vers le Lac-Saint-Jean à compter de la décennie 1840, le poste de traite de Métabetchouan prend par ailleurs de plus en plus d'importance. Entre 1850 et 1880, c'est ce poste qui assure la continuité de la traite. La clientèle n'est plus seulement composée d'Amérindiens mais de colons, de marchands, de bûcherons et de journaliers. Cette clientèle contribue ainsi à diversifier les produits d'échanges qui ne sont plus composés uniquement de fourrures. Prenant l'allure d'un magasin général et affichant des pertes et un déséquilibre entre les marchandises entreposées et les fourrures trafiquées, la Hudson's Bay convient de fermer cet établissement au printemps 1880[57]. Les activités de la compagnie sont, dès lors, transférées à la réserve de Pointe-Bleue créée par le gouvernement en 1856, à une dizaine de kilomètres de Roberval. Même si le choix de cette localisation fait l'objet de contestation au début du XXe siècle[58], c'est à partir de cet endroit que la population amérindienne et le commerce des fourrures seront désormais concentrés au Saguenay—Lac Saint-Jean.

Orientations bibliographiques

Gill, Pierre, *Les Montagnais, premiers habitants du Saguenay—Lac-Saint-Jean,* [s.l.] les Éditions Mishinikan, 1987, 145 p.

Guitard, Michelle, *Des fourrures pour le Roi au poste de Métabetchouan,* Québec, Mnistère des Affaires culturelles, Direction régionale du Saguenay—Lac-Saint-Jean, 1984, 244 p.

Simard, Jean-Paul, «Les Amérindiens du Saguenay avant la colonisation blanche», Christian Pouyez, Yolande Lavoie *et al., Les Saguenéens,* Québec, Presses de l'Université du Québec, 1980, p. 67-94.

Chapitre III

UNE FORÊT ET DES COLONS
AU SERVICE DE L'EMPIRE

Autant le commerce des fourrures a été à l'origine de la formation des Postes du Roi, autant l'industrie forestière contribue peu avant 1840 à l'émergence du Saguenay—Lac-Saint-Jean. Avec des effets structurants beaucoup plus importants que les comptoirs de traite, l'exploitation forestière entraîne avec elle le peuplement et la colonisation de la région.

Jusqu'à l'avènement de l'industrialisation à la fin du siècle dernier, le Saguenay et le Lac-Saint-Jean se voient confrontés sur le tard à une sorte d'Ancien Régime français. L'économie de subsistance, en cercle fermé, gravite autour de l'agriculture, de la scierie et des chantiers forestiers et les maîtres de l'industrie exercent une profonde emprise sur les colons et la vie de la communauté. Le commerce du bois contribue également à modeler le paysage régional et à forger les traits de la mentalité populaire. Un type de société à l'esprit pionnier allait en somme en résulter qui favorisera grandement l'implantation de la grande industrie.

Une nécessaire mise en contexte

Lorsque William Price débarque à Québec en 1810, le Bas-Canada vit déjà en partie sous le règne du bois[1].

L'Angleterre, pays le plus déboisé de l'Europe et coupé depuis 1806 de la Baltique par le blocus continental de Napoléon, se tourne vers l'Amérique pour renouveler sa flotte marchande et les bâtiments de guerre de sa Royal Navy[2]. Les compagnies londoniennes profitent de l'occasion pour envoyer au Canada des agents dont la mission est de remplir les contrats de l'Amirauté britannique. Le Haut et le Bas-Canada viennent à la rescousse de la métropole et tirent partie des ressources du Bouclier en expédiant chaque année des quantités de plus en plus grandes de bois équarri. Entre 1800 et 1810, les exportations grimpent de 26 000 à plus de 125 000 tonnes[3]. En 1815, à la fin des hostilités avec la France et dans la foulée du déploiement de sa révolution industrielle, l'Angleterre met à contribution à la fois le bois de la Baltique et le bois canadien. Au bois de charpente constitué de chêne et de pin vient s'ajouter le bois de sciage. Les scieries se multiplient dans les deux Canada: de 1825 à 1840, celles-ci passent de 394 à 963[4]. De plus, parallèlement à cet essor de l'industrie, la construction navale se développe dans le Bas-Canada. Favorisée par le faible coût de revient du bois de construction, par une main-d'oeuvre abondante et qualifiée et par des facilités de chargements et d'expéditions, la ville de Québec devient le centre nerveux de cette nouvelle activité. Entre Sillery et l'île d'Orléans, une vingtaine de chantiers navals sont en opération au début de 1850. Durant l'hiver, ils assurent de l'emploi à des milliers de travailleurs et favorisent la mise en place de nombreuses industries secondaires en même temps que des commerces et des services[5].

L'implantation et l'essor du commerce du bois et de la construction navale jouent un rôle de premier plan dans la modernisation de l'économie bas-canadienne. Ce nouvel axe de développement prend d'ailleurs son élan au moment où la société rurale québécoise traverse une des pires périodes de son histoire. À l'origine des tensions socio-ethniques et socio-politiques qui mèneront aux insurrections armées de 1837-1838, la crise trouve un premier fondement du côté

Quai de Sillery au XIXe siècle, APC

agricole[6]. Alors que, depuis la seconde moitié du XVIIe siècle, la culture du blé représentait environ 65% de la production agricole, le pain blanc disparaît presque complètement de la table de l'habitant entre 1800 et 1840. En 1831, le blé ne correspond plus qu'à 21% de la moisson et en 1844 il n'équivaut plus qu'à 4,4% de la production agricole. Conséquence des épidémies de mouches à blé, des mauvaises conditions climatiques, de l'appauvrissement progressif des sols et du conservatisme des méthodes agraires, cette crise provoque la disette et la misère. À côté des importations de grains de semence et de farine en provenance du Haut-Canada et des États-Unis, des cultures de remplacement sont développées, axées principalement sur la pomme de terre et sur les céréales pauvres, telles l'avoine et l'orge.

À ce grave problème agricole qui ébranle fortement la société rurale bas-canadienne et le marché des villes, vient se greffer une sérieuse crise démographique[7]. La population du Bas-Canada passe, entre 1825 et 1850, de 479 288 à 890 261 habitants. Cette augmentation est attribuable à un taux de natalité qui fluctue autour de 50 pour 1 000 et à l'arrivée au port de Québec de 30 000 immigrants britanniques en moyenne par saison. Même si la majorité de ces immigrants n'est qu'en transit à Québec, avant de pouvoir se fixer dans le Haut-Canada ou aux États-Unis, la minorité qui reste dans les villes de Québec et de Montréal ainsi que dans les campagnes environnantes n'est pas sans inquiéter la masse des Canadiens français et ses dirigeants politiques. Cette crainte se confirme par les épidémies de choléra, qui font rage dans le Bas-Canada en 1834, propagées par les immigrants.

Ces nouveaux venus en quête de travail créent en outre une pression sur le mouvement de l'emploi et posent en termes encore plus criants le problème de la rareté des terres et la nécessité d'abolir le régime seigneurial. Ce troisième facteur entrave l'accélération du peuplement et contribue à aggraver les tensions. Tandis que la population du territoire seigneurial s'accroît de 234% entre 1784 et 1831, le taux de l'espace occupé n'augmente que de 138%[8]. Pour réduire cet écart ou ces limites imposées à l'expansion de l'aire seigneuriale, les paysans, bien qu'ils ne forment pas un bloc homogène, n'ont pas d'autre choix que de surexploiter leur terre et de capitaliser ou de morceler leur propriété[9]. Dans les vieilles paroisses du Saint-Laurent comme à Charlevoix, le plafond de bonnes terres est vite atteint, ce qui donne lieu à la formation d'un prolétariat rural en mal d'établissement et de travail. De plus, certains seigneurs profitent de la situation pour augmenter les redevances auprès de leurs censitaires, spéculer sur l'octroi des terres, s'accaparer des meilleures «places de moulins» et étendre encore plus leur emprise sur les territoires boisés, sur la chasse ainsi que sur la pêche[10].

La recherche de nouvelles terres devient donc, au début de 1820, un véritable problème national[11]. Pour l'élite dirigeante, il importe de résoudre le problème des immigrants et de contrecarrer le mouvement d'exode des Canadiens français en direction des villes manufacturières des États-Unis. D'autant plus, et c'est le quatrième fondement de la crise, que certaines régions du Bas-Canada, principalement une partie des Cantons de l'Est, la vallée de la Mauricie et le Saguenay—Lac-Saint-Jean ne peuvent être mises en valeur du fait qu'elles ont été cédées à des monopoles privés[12]. C'est dans ce contexte particulier, étroitement lié au développement de l'industrie forestière, que s'inscrit la question de l'ouverture de la région à la colonisation.

La redécouverte du Saguenay

C'est au cours de la session parlementaire de 1820-1821 que l'on enclenche le processus qui mènera à l'ouverture du Saguenay—Lac-Saint-Jean. Non pas qu'on n'ait pas songé plus tôt à coloniser cette région, car la plus lointaine référence à ce sujet remonte aux environs de 1687[13], mais comme l'industrie du bois et la pratique de l'agriculture sont incompatibles avec le commerce des fourrures en raison de l'emploi du même réseau hydrographique et d'une autre forme d'utilisation de la forêt, toute entreprise de ce genre s'exposait inexorablement au veto des compagnies locataires des Postes du Roi.

La crise de la société rurale bas-canadienne nécessite une révision du statut de la région. Pour y remédier, le gouverneur Dalhousie instaure une commission parlementaire chargée d'en étudier les causes et de proposer des solutions. Composée de plusieurs représentants du futur Parti patriote, la commission entend, entre 1820 et 1825, près d'une vingtaine de témoins bien au fait du potentiel de la région. Outre celui de François Verreault, les témoignages de Paschal et de Jean-Baptiste Taché de Kamouraska retiennent particulièrement l'attention des parlementaires. Après avoir dévoilé, carte à l'appui, la localisation des diverses zones cultivables du Saguenay—Lac-Saint-Jean, ces témoins affirment que cette région est sans contredit l'une des portions de l'Amérique les plus riches sous le rapport du commerce et de l'agriculture si elle était mise en valeur[14]. Ces propos sont considérés comme une véritable révélation[15]. Tandis qu'au XVIIe siècle les *Relations* des Jésuites, les récits de voyages de Champlain et les travaux du père Charlevoix avaient fait connaître les Postes du Roi partout en Europe et dans la colonie, depuis la Conquête, ce territoire avait sombré dans l'oubli pour le plus grand intérêt de ses locataires[16]. Comme l'exploration de la région s'avérait essentielle à la poursuite des travaux de la Commission, la Chambre décide, sous les pressions de Paschal de Sales de Laterrière, député du comté, de voter une somme de 500 £ (soit près de 2 000 $) à cette fin[17].

À l'heure des grands voyages d'exploration des Livingstone et des Stanley, l'équipe dirigée par les députés Andrew et David Stuart se met en branle en juillet 1828. Après avoir dressé un inventaire complet des ressources agricoles, forestières et minérales de la région ainsi que des conditions climatiques et du réseau hydrographique, les responsables de l'expédition et leurs collègues ingénieurs et arpenteurs déposent leur rapport devant la Chambre, en janvier 1829. Non seulement ils concluent que ces terres sont propices à l'agriculture et à l'industrie forestière, mais ils sont d'avis que leur mise en valeur ne peut que «contribuer aux intérêts généraux de l'Empire[18]».

La publication du rapport et l'obtention de nouveaux crédits pour déterminer l'emplacement d'une éventuelle voie d'accès entre Charlevoix et le Saguenay suscitent un grand enthousiasme parmi la population de Charlevoix. Aussi, afin d'amener le gouvernement à donner suite aux recommandations du rapport, une pétition circule, en avril 1829, à La Malbaie et à Cap-à-l'Aigle. Faisant état du caractère inculte de leurs terres et de l'impossibilité d'y élever leurs nombreuses familles, les 254 signataires demandent au gouverneur Kempt de leur accorder la préférence dans l'octroi des lots lors de l'ouverture éventuelle du Saguenay, en raison de leur proximité géographique avec la région et du fait que les quatre autres paroisses de Charlevoix sont prêtes à s'associer avec eux dans la réalisation de ce projet. Comme rien n'était encore décidé quant à l'avenir du Saguenay, le gouverneur répond aux pétitionnaires que leur requête serait prise en considération en temps opportun[19].

Pour calmer les esprits ou pour montrer sa bonne volonté, le gouverneur consent toutefois à accorder des crédits pour l'établissement d'une route carrossable entre Charlevoix et le Saguenay. En 1830, l'arpenteur Nicolas Andrew parcourt l'espace compris entre Charlevoix et la baie des Ha! Ha! et démontre qu'il est possible d'ouvrir un chemin d'hiver entre La Malbaie et le Petit-Saguenay[20]. En 1835, le commissaire W.H.A. Davies entreprend un périple de quarante jours qui le conduit de La Malbaie à Grande-Baie en passant par le Petit-Saguenay. Sur le chemin du retour, il remonte la rivière Ha! Ha!, longe la rivière Malbaie et suit un ancien sentier amérindien qui le conduit à Saint-Urbain. Cette découverte crée une véritable effervescence dans Charlevoix. Alors que l'on croyait que la nature avait érigé une barrière insur-montable dans l'arrière-pays de Charlevoix, voici que deux voies d'accès se présentent, l'une favorable aux gens de La Malbaie, le futur chemin des Marais, l'autre, aux gens de la Baie-Saint-Paul, le futur chemin de Saint-Urbain[21].

Forts des conclusions de ces rapports et, en particulier, de la recommandation de Davies quant au caractère novateur d'une telle entreprise, les habitants de Charlevoix font cir-culer pendant l'été et l'automne 1835, une deuxième pétition en vue de l'octroi de 300 000 arpents de terres arables en franc et commun soccage au Saguenay. La pétition, que pilotent Thomas Simard et Alexis Tremblay dit Picoté, recueille plus de 1 800 signatures dans les paroisses de la région. Devant le comité de la Chambre chargé d'étudier cette question, Simard et Tremblay viennent défendre leur plan de colonisation et expliquer les motifs qui les animent[22]. C'est, disent-ils, la misère qui sévit dans Charlevoix et l'impossibilité d'établir les fils de familles qui sont à l'origine de leur projet. Après avoir exploré les terres derrière Château-Richer, ils en sont venus à la conclusion que seules celles des Postes du Roi convenaient à l'exécution de leur projet de colonisation. Les terres auxquelles ils font référence ne comprennent d'ailleurs qu'une faible partie des limites des Postes du Roi, soit celles qui sont à l'ouest de Chicoutimi et autour du lac Saint-Jean. Selon eux, ces nouveaux établissements ne causeront aucun préjudice à la Hudson's Bay Company puisque ses activités ont déjà considérablement diminué au Saguenay.

Présidé par le député Augustin-Norbert Morin[23], du Parti patriote, le comité de la Chambre entérine non seulement la pétition et le projet de Thomas Simard et d'Alexis Tremblay, mais propose au gouverneur Aylmer d'user de son influence auprès de la Hudson's Bay Company pour permettre la colonisation du Saguenay, dans le secteur de la baie des Ha! Ha! avant l'expiration, en octobre 1842, du bail d'affermage de la compagnie locataire. Même s'il donne son accord de principe pour faire modifier le statut des Postes du Roi lors du renouvellement du contrat de location, Aylmer doit, en mars 1836, rejeter la recommandation de la Chambre en raison de certains arrangements conclus entre son gouvernement et la Hudson's Bay Company[24].

Il faudra attendre une initiative privée pour «pratiquer la brèche qui devait rompre le blocus du Saguenay[25]». Centrée sur le commerce du bois, cette initiative allait venir de la Société des Vingt-et-Un et de William Price.

La formation de la Société des pinières du Saguenay

Malgré les travaux de Jean-Paul Simard, toute la lumière n'a pas encore été faite sur les circonstances entraînant l'octroi par le gouvernement d'un permis de coupe de 60 000 billots de pin à la Hudson's Bay Company en décembre 1836[26]. Tentative de diversification de ses activités pour

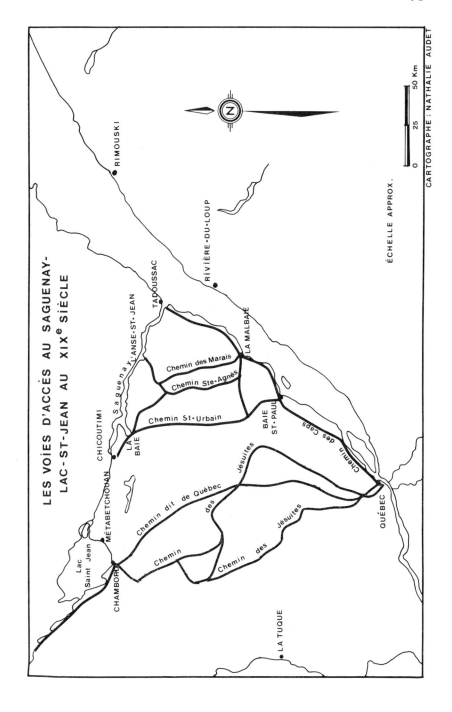

LES VOIES D'ACCÈS AU SAGUENAY-
LAC-ST-JEAN AU XIXᵉ SIÈCLE

compenser les pertes de revenus encourues par le déclin du commerce des fourrures dans les Postes du Roi, crainte de voir les marchands de Québec prendre le contrôle du commerce du bois dans une région qui lui est affermée depuis bientôt cinq ans, offre de collaboration à l'endroit du gouverneur et de l'exécutif pour apaiser le climat de tension et d'agitation qui se manifeste de plus en plus dans Charlevoix, toutes ces hypothèses méritent d'être vérifiées.

Quoi qu'il en soit, dès le printemps 1836, la Hudson's Bay Company s'affaire à préparer ses chantiers d'hiver. Bien que le permis d'exploitation l'autorise à entreprendre la coupe depuis les Grandes-Bergeronnes jusqu'à la hauteur de Chicoutimi, la compagnie oriente ses activités de part et d'autre de l'embouchure de la rivière Saguenay, soit à la rivière Noire, à L'Anse-à-l'Eau et au Moulin à Baude. Pour aider l'agent William Connely du poste de Tadoussac à diriger les opérations, la compagnie requiert les services de Peter McLeod, père et fils, qui, à leur tour, s'assurent de l'expertise de Thomas Simard, entrepreneur forestier et propriétaire d'au moins deux scieries dans les environs de La Malbaie[27]. Même si le commerce du bois dans son fonctionnement s'apparente à celui du commerce des fourrures, l'agent Connely arrive à peine à faire couper 10 000 billots et à les faire sortir de la forêt lors des crues printannières de 1837. Cet insuccès entraîne de vives réactions de la part des marchands de bois de Québec. Par la voix des journaux, ils accusent le gouverneur Aylmer et le gouverneur Simpson de la Hudson's Bay Company de collusion. En plus de les spolier d'un droit acquis sur le commerce du bois, voici que la Hudson's Bay Company ajoute, à son monopole sur le commerce des fourrures dans les deux Canada, celui de l'exploitation forestière dans les Postes du Roi[28].

Sans doute pour redorer le blason de sa compagnie et prêter main-forte au gouvernement, le vingt-trois septembre 1837, un mois avant la grande assemblée de Saint-Charles-

Dessin de l'Anse-à-L'Eau vers 1870, ANQ-C.

sur-le-Richelieu, Simpson écrit à Thomas Simard et lui demande de fournir un cautionnement de 641 £ (environ 2 564 $) pour obtenir le transfert du permis de coupe[29]. Pendant près d'un mois, alors que la rébellion fait rage à Saint-Denis, à Saint-Charles et à Saint-Eustache, le branle-bas prend une autre forme, une autre orientation dans Charlevoix, ce qui explique l'absence de soulèvement populaire dans cette région. Le neuf octobre, dans le but d'amasser les fonds pour l'obtention de la licence et de s'engager dans l'exploitation forestière au Saguenay, Thomas Simard et Alexis Tremblay dit Picoté réunissent dix-neuf de leurs concitoyens de La Malbaie et fondent la Société des pinières du Saguenay[30]. Voyant dans cette entreprise une occasion inespérée de faire fructifier leur capital et d'amorcer la conquête du Saguenay, chacun d'entre eux verse une somme de 30,5 £ (environ 120 $) pour se procurer une action et faire partie de l'association. Afin de faciliter l'accès à la société, chaque membre a la possibilité de s'adjoindre des co-associés. Sur les vingt et un sociétaires, quatorze se prévalent de ce droit. C'est ainsi qu'au total trente-neuf personnes sont impliquées directement dans l'entreprise des pinières du Saguenay.

Comme le capital de la société est insuffisant pour l'acquisition du permis de coupe de la Hudson's Bay Company, Alexis Tremblay dit Picoté, agent de William Price à La Malbaie, intéresse son patron au projet[31]. Price, qui manifeste beaucoup d'estime envers les Charlevoisiens dont plusieurs travaillent pour lui, et qui trouve dans ce projet le moyen qui lui manquait pour être le premier entrepreneur forestier à gravir les hauteurs du Saguenay et étendre encore plus son emprise sur le commerce du bois dans le Bas-Canada, consent à investir 1 050 £ (environ 4 200 $) dans cette affaire[32]. Avec la caution des Vingt-et-Un, cet apport de Price permet à Thomas Simard, le seize octobre 1837, de se porter acquéreur du permis de coupe de la Hudson's Bay Company et de se livrer, avec ses associés, à l'exploitation des pinières du Saguenay[33].

À l'assaut du Bas-Saguenay

Si l'octroi de la licence à Thomas Simard donne le «coup de mort aux intérêts de la Hudson's Bay Company dans les Postes du Roi»[34], l'industrie forestière permet d'assurer le démarrage de la région. La colonisation commençant par les chantiers, l'entreprise des Vingt-et-Un ainsi que celle de William Price ne cesseront de se modeler sur la géographie du paysage, sur les aires d'approvisionnement de la ressource, sur le potentiel hydraulique des rivières et sur les facilités d'écoulement et d'expédition du produit. C'est en considérant ces éléments et en tablant sur leur débrouillardise et leur esprit d'entreprise que les Vingt-et-Un se lancent, avec Price, à la conquête du fjord[35].

Comme il s'agit de prendre rapidement le contrôle des meilleures «places de moulins», l'hiver 1837-1838 est consacré à l'organisation de l'opération[36]. Ainsi, en novembre 1837, le comité de contrôle ou de régie de la société est formé; en février 1838, une entente est passée avec Price sur la

William Price, 1789-1867, Musée du Saguenay—Lac-Saint-Jean.

Alexis Tremblay dit Picoté, 1787-1859, Musée du Fjord (cliché de C. Bergeron).

dimension et le prix des madriers; en avril, la société procède à l'engagement de bûcherons, pour faire la pinière, et de l'ingénieur Joseph Duchesne, de Kamouraska, pour ériger les écluses et construire les moulins.

Le vingt-cinq avril, après s'être procuré au magasin de William Price les provisions et les instruments nécessaires à l'exploitation forestière, une première équipe formée de vingt-sept hommes, tant associés que co-associés, monte à bord d'une goélette spécialement affrétée à leur intention par Thomas Simard à La Malbaie[37]. Habitués à s'arrêter souvent dans divers lieux de mouillage[38], ces derniers font une première escale sur le Saguenay à la hauteur des Petites-Îles, puis une seconde à l'Anse-au-Cheval, en face de la rivière Sainte-Marguerite. À chaque endroit, des hommes débarquent pour ériger un moulin. Comme le bois n'est pas abondant, les travaux sont peu considérables. Un mois plus tard, après le départ des glaces en amont sur la rivière et après avoir complété les aménagements nécessaires au fonctionnement de la scierie, la goélette remonte le Saguenay et fait un troisième arrêt du côté de L'Anse-Saint-Jean où des hommes, venus par voie de terre, sont déjà au travail. Pendant que l'on s'affaire à l'installation du moulin et que la goélette retourne à La Malbaie chercher de nouvelles recrues, quatorze hommes se détachent du groupe, prennent place dans deux embarcations et arrivent à la Grande-Baie le onze juin 1838, à l'emplacement actuel du musée du Fjord.

Dès leur arrivée, les hommes s'affairent à se loger. Ils entreprennent la construction d'un camp de bois rond juste à l'embouchure de la rivière Ha! Ha!, sur la rive est. On entreprend ensuite l'exploration du territoire le long de la rivière Ha! Ha! et de la future rivière à Mars pour y trouver des pinières. Poussant particulièrement au sommet et le long des crêtes rocheuses, ainsi que sur les sols sablonneux[39], les pins se font rares. Le rapport des éclaireurs est si décevant, contrairement à celui de L'Anse-Saint-Jean, que l'on songe même, selon l'abbé Louis-Antoine Martel, à abandonner l'entreprise. Après discussions, on décide tout de même de tenter l'aventure.

Tout au cours de l'été, tandis que Roger Bouchard s'établit pour le compte des Vingt-et-Un à l'Anse-à-Pelletier, sur la rive nord du Saguenay, à Grande-Baie les hommes dressent l'écluse et la dalle pour la scierie de la rivière Ha! Ha! En octobre, la Société entreprend, à L'Anse-Saint-Jean, l'expédition de ses premiers madriers sur la goélette de Michel Lévesque. En même temps, les familles commencent à arriver de Charlevoix en vue de la préparation des chantiers d'hiver. Leur nombre est considérable puisque, au printemps 1839, les curés de La Malbaie et de la Baie-Saint-Paul recensent 8 hommes aux Petites-Îles, 2 à l'Anse-au-Cheval, 67 personnes à L'Anse-Saint-Jean, 8 à la Descente-des-Femmes (aujourd'hui Sainte-Rose-du-Nord), 61 à l'Anse-à-Pelletier et 110 dans le secteur de la Grande-Baie[40].

Pendant les hivers de 1838 à 1840, les hommes travaillent activement aux pinières. Au printemps de 1840, un bris

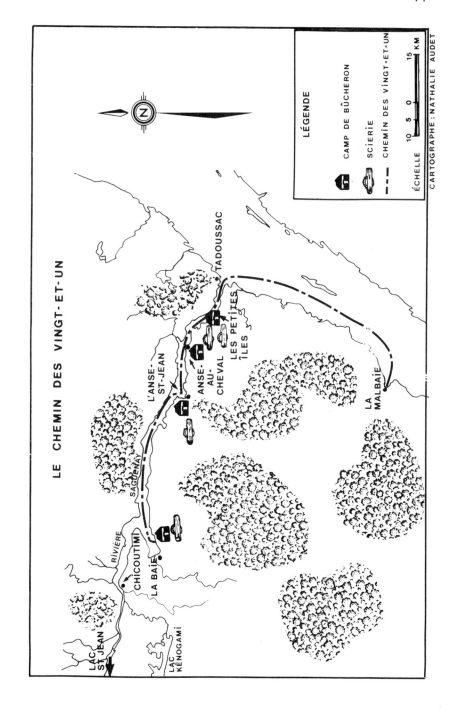

LE CHEMIN DES VINGT-ET-UN

d'estacades emporte près de 12 000 billots de pin dans la baie des Ha! Ha![41]. Pareil incident, qui était relativement courant à l'époque, surtout lorsqu'une forte distance séparait la scierie des aires de coupe et de flottage et que le coup d'eau printanier était soudain et violent[42], sème l'inquiétude parmi les Vingt-et-Un. Pour la somme de 325 £ (environ 1 300 $) par action, huit membres de la société vendent leur part à William Price. L'année suivante, faute de précautions nécessaires, survient un autre bris d'estacades qui occasionne d'importantes pertes de revenus. En juillet 1842, Price achète le reste des actions des Vingt-et-Un, au même taux qu'en 1840, après déduction des avances ou des créances faites à son magasin[43]. Seules les actions de Thomas Simard et d'Alexis Tremblay dit Picoté, les initiateurs de la société, sont exclues de cette transaction, Tremblay reste alors à l'emploi de Price et occupe, jusqu'à l'arrivée de Robert Blair, le poste de gérant de l'établissement de la Grande-Baie.

Au terme de leur brève odyssée ou de leur aventure et malgré leurs déboires, les Vingt-et-Un auront tout de même réalisé l'essentiel de leur projet inavoué, soit de percer une brèche dans la forêt saguenéenne, sans laquelle la colonisa-

Le faubourg de L'Anse-Saint-Jean, Collection Y. Gauthier.

tion n'aurait pu voir le jour[44]. En acquérant les actions des Vingt-et-Un, Price devient, de son côté, le seul propriétaire des moulins à scie établis dans le Bas-Saguenay entre Saint-Siméon et l'Anse-à-Pelletier. Ses privilèges sur les droits de coupe s'étendant jusqu'à la hauteur de Chicoutimi, il décide, à l'été 1842, d'exploiter de nouvelles pinières en se dirigeant vers le Haut-Saguenay.

L'association Price-McLeod

Comme le souligne le géographe Raoul Blanchard, les hauteurs de Chicoutimi présentaient de grands avantages pour l'industrie forestière. Les deux rivières bornant cet emplacement, la rivière du Moulin, à l'est, et la rivière Chicoutimi, à l'ouest, recelaient non seulement de puissantes chutes prêtes à actionner des scieries, mais, par le bassin de ces rivières, un vaste arrière-pays s'ouvrait au sud jusqu'à cent kilomètres du Saguenay, formant ainsi une magnifique réserve de conifères, tandis qu'au nord, en direction des rivières Shipshaw et Valin, la forêt n'en était pas moins étendue[45]. Puisque déjà une pénurie de beaux arbres à sciage commençait à se faire sentir à Tadoussac et à Grande-Baie, Chicoutimi revêtait donc, aux yeux de Price, une importance capitale pour réaliser l'expansion de son entreprise.

Usant de la même stratégie qu'au Bas-Saguenay avec les Vingt-et-Un, Price a recours à un intermédiaire, Peter McLeod, pour s'établir dans les limites de Chicoutimi[46]. Montagnais par sa mère, McLeod peut en tant qu'Amérindien circuler et se fixer librement dans les Postes du Roi où la Hudson's Bay Company exerce encore son monopole. McLeod, déjà endetté envers Price pour sa scierie de la rivière Noire, a l'avantage de bien connaître les lieux, son père et lui ayant autrefois travaillé comme commis au poste de traite de Chicoutimi. Les deux hommes signent une entente qui libère McLeod de ses dettes envers Price et qui en fait son agent. Ce dernier lui avance en outre les capitaux, l'équipement et les provisions indispensables à l'établissement des scieries de la rivière du Moulin et de Chicoutimi.

C'est ainsi qu'en août 1842 une goélette jette l'ancre à l'embouchure de la rivière du Moulin. Aussitôt débarqués, McLeod et vingt-trois hommes venus de la rivière Noire et de La Malbaie se rendent à la première chute de la rivière où des missionnaires jésuites et la North West Company avaient déjà bâti, en 1750 et en 1800, un moulin à scie[47]. Jusqu'à la fin de l'automne, les hommes s'emploient à la construction de l'écluse, de la dalle et de la scierie de même qu'à leurs divers campements. Tout en supervisant ces travaux, McLeod adresse, en octobre, une requête au gouverneur Bagot afin d'acquérir les droits de propriété sur les deux emplacements des rivières du Moulin et Chicoutimi. Le conseil exécutif, ayant renouvelé le bail de la Hudson's Bay Company à la condition de permettre l'arpentage et la colonisation du territoire, enregistre la demande de McLeod, ce qui lui donne un droit de préemption sur ces terrains[48].

Fort de ces privilèges, même si la question ne sera définitivement réglée qu'en 1862, dix ans après son décès, McLeod entreprend l'exploitation des pinières. Comme l'avait précédemment observé Jean-Baptiste Le Gardeur de Tilly, en 1725, le bassin drainé par la rivière du Moulin renfermait un important potentiel de pins rouges et de pins blancs. En janvier 1843, McLeod fait parvenir à Price un premier rapport sur les opérations des chantiers[49]. La neige a été si peu abondante, écrit-il, jusqu'au dix-huit de ce mois que les hommes ont été incapables de charroyer de gros billots. Mais depuis la dernière bordée, c'est pas moins de 100 billots par jour qui sont dirigés vers les estacades du Saguenay. Selon son estimation, les chantiers pourront donner jusqu'à 10 000 billots de pin jaune, une partie importante venant toutefois des habitants. À deux reprises, McLeod se plaint du gaspillage des habitants qui coupent du mauvais bois; il ne manque pas,

Peter McLeod, c.1807-1852, tableau de Théophile Hamel, Musée du Saguenay—Lac-Saint-Jean.

David Edward Price, 1826-1883, ANQ-C, Fonds SHS.

à chaque fois, de mentionner le «trouble» qu'il a eu à les persuader de faire le contraire et de respecter la dimension désirée pour répondre au marché. McLeod en profite aussi pour demander à Price de lui envoyer, au début de mars, un homme capable de construire des écluses et d'effectuer des réparations dans le moulin. D'après lui, la scierie pourra commencer à fonctionner en mai. Mais, pour cela, il faudrait que son associé lui envoie, tôt au printemps, un bateau assez grand pour porter les pièces d'équipement du moulin et pour retourner avec une cargaison de 1 000 madriers. Enfin, McLeod annonce à Price qu'il n'a pas pu faire de chantier en direction du lac Kénogami, comme il l'aurait voulu l'automne précédent, car la saison était trop avancée lorsqu'il est arrivé avec ses hommes à la rivière du Moulin.

Comme le laisse entendre ce rapport, l'opération forestière s'est effectuée avec beaucoup de minutie, l'aspect technique comptant énormément pour assurer la réussite financière de l'entreprise. Cet élément est d'ailleurs constant dans l'échange de correspondance entre McLeod et

Price. En février 1844, par exemple, Price donne à son associé une série d'instructions sur la coupe, soit de rechercher avant tout les billots de 22 pouces de diamètre parce qu'ils offrent le meilleur rendement, soit 8 madriers à l'arbre[50]. Chargé «de la partie pratique» de l'établissement, McLeod s'efforce de suivre fidèlement les conseils de son partenaire. Ainsi, en décembre 1846, après avoir longuement précisé les clauses touchant l'engagement des hommes, McLeod donne à un de ses contremaîtres, Damase Boulanger, futur fondateur d'Alma, une série de directives quant à la conduite à suivre dans les chantiers:

> *Mes ordres sont de charger cinq shillings pour maladie par jour de pension à ceux qui perdront du temps mal à propos [...] Tout homme qui désobéira aux ordres de celui qui sera appointé pour le conduire, qui ne donnera pas satisfaction, sera congédié immédiatement et il n'aura pas un seul sou de ses gages [...] Je veux aussi qu'il soit bien entendu que tout raccommodage [...sera] fait le soir après la journée faite [...] Le temps de travail sera du petit jour le matin jusqu'à la nuit; il faudra que les hommes partent du chantier avant le jour afin d'être rendus à leur ouvrage aussitôt qu'il fera assez clair pour travailler et ils ne laisseront pas l'ouvrage avant qu'il fasse trop noir pour pouvoir continuer[51].*

Si strictes soient-elles, pour nous aujourd'hui, ces conditions de travail étaient largement répandues à l'époque[52].

En 1846-1847, une épidémie de scorbut et de typhus, causée entre autres par la malnutrition, se répand au Saguenay et entraîne une pénurie d'hommes dans les chantiers[53]. McLeod enjoint David Price, un des fils de William, de lui envoyer 30 hommes. Il n'a pas de difficulté à recruter du personnel puisqu'il est le plus gros employeur de la région et qu'il offre des gages de 3,15 £ (12,60 $) par mois. Cette somme représente un salaire plus élevé que la moyenne, entre 8 à 10 $ par mois; cependant, ce qu'il offre est de beaucoup inférieur à ce qui se donne dans la région de l'Outaouais. Suivant l'exemple des Edwards en Ontario et des Robin en Gaspésie, le salaire prend la forme de bons de commande délivrés au porteur échangeables au seul magasin de la compagnie. Utilisés de façon intermittente entre 1839 et 1878 principalement à Grande-Baie, à Petit-Saguenay et à Chicoutimi, ces «pitons» laisseront dans la population un très mauvais souvenir que s'efforcent d'atténuer par leur présence et par leur paternalisme William Price et ses fils[54].

Price, qui effectue jusqu'à trois fois par hiver le difficile voyage du Saguenay, attache d'ailleurs une très grande importance à suivre sur place le progrès de ses chantiers et de ses établissements. C'est l'occasion pour lui de s'entretenir en français avec les hommes et de rencontrer les habitants pour déterminer les prix des billots lorsque des conciliations s'imposent. En plus de jouer un très grand rôle dans la motivation et l'amélioration du rendement, ces contacts réguliers contribuent pour beaucoup à créer un sentiment d'appartenance et de solidarité envers l'entreprise[55].

En 1843, un rapport sur les opérations forestières au Saguenay permet de mesurer la performance des chantiers de Price. Des 103 000 billots de pin et 18 000 billots d'épinette coupés cette année-là, 83 000 billots de pin et 11 000 billots d'épinette proviennent de ses territoires de coupe. Le reste de la production émane d'entrepreneurs indépendants qui entretiennent des relations d'affaires avec Price, comme les Thomas Simard, Adolphe Gagnon et François Guay, entre autres, impliqués à l'origine dans la Société des Vingt-et-Un[56].

C'est au cours de 1843-1844 que Price et McLeod se tournent du côté de la rivière Chicoutimi pour mettre à contribution l'important pouvoir d'eau de la rivière et exploiter, en amont, les pinières du lac Kénogami[57]. Malgré les obstructions de la Hudson's Bay Company, la scierie est en mesure de fonctionner au printemps 1845. Mesurant 18 mètres de longueur sur 18 de largeur, la scierie a une capacité de production de deux à trois fois plus importante que celle de la rivière du Moulin, soit environ 200 000 madriers par saison[58]. Au début des années 1850, alors que la scierie de la rivière du Moulin est donnée à contrat, 120 hommes travaillent chaque été au moulin de la rivière Chicoutimi. Impliquant un chiffre d'affaires de plus de 63 000 £ (soit environ 250 000 $), il permet à une quarantaine de navires de remonter chaque année le Saguenay afin de répondre aux demandes du marché anglais[59]. L'intensité du trafic et le caractère particulier du Saguenay amènent Gould et Dowie, les associés de Price à Londres, à émettre des directives pour faciliter le chargement des bateaux:

En arrivant au mouillage du moulin Baude,3 milles en aval de Tadoussac et après avoir reçu les instructions au Bic sur la rive sud du Saint-Laurent, le navire tire 2 à 3 coups de canon et hisse le pavillon au grand mât. Il avertit ainsi le poste des pilotes de l'Anse-à-l'eau, ce qui évite les retards. Si le vent n'est pas favorable pour remonter le Saguenay, le navire commence à charger à l'Anse-à-l'eau où il y a un gros dépôt de madriers. Il complètera le chargement plus haut sur la rivière, dès que le vent le lui permettra[60].

Dans le but d'accélérer les opérations, Price achète en 1845 un navire de 30 chevaux-vapeur pour touer les voiliers dans la rivière. Le dernier arrêt s'effectue à la scierie de la rivière Chicoutimi qui contribue pour presque la moitié des madriers chargés au Saguenay.

Chicoutimi en 1882, ANQ-C, Fonds SHS

L'arrimage des bateaux cause beaucoup d'ennuis à Price et à McLeod. En août 1852, le capitaine d'une barque norvégienne refuse de remplir ses engagements parce qu'il ne veut pas vider la cale de son navire chargé de bois de chauffage qu'il destine à un autre client[61]. L'insalubrité des bateaux est souvent aussi à l'origine du mauvais état des madriers débarqués en Angleterre. Louise Dechêne mentionne que David Price, en apprentissage à Londres, «est stupéfait de voir à quel point les madriers canadiens, noircis par le charbon des cales, font pauvre figure à côté des bois étrangers, voire même ceux des Maritimes, qui sont transportés dans de grands navires en fer[62]».

Compte tenu de la diversité et de l'importance des activités reliées à l'exploitation forestière, il n'est donc pas étonnant que cette industrie ait tant contribué à forger les traits d'ensemble de la région, à imposer un rythme saisonnier et cyclique à la communauté et à exercer une influence si déterminante sur les conditions du commerce, de l'emploi et sur la propriété foncière. Dans le contexte d'une économie et d'une société en formation, l'emprise du produit générateur et de ses agents ne peut être qu'entière et, encore plus, lorsque le pouvoir politique repose entre les mains des grands entrepreneurs et que le gouvernement préfère donner en bloc les permis de coupe au seigneur de l'endroit comme cela sera le cas en 1843 et en 1845 à l'égard de Price[63]. Cette mainmise soulève non seulement tout le problème de la liberté du commerce mais aussi de l'accès à la propriété, de l'occupation du sol et de l'absence d'infrastructures propres à favoriser la colonisation. Elle explique en plus les conditions de vie des pionniers, en même temps que la structure ou l'organisation des premiers établissements fondés au Saguenay.

L'origine des colons et les premiers centres de peuplement

Si déterminante qu'ait été la Société des Vingt-et-Un dans l'ouverture du Saguenay, ce n'est pas elle, il faut bien l'avouer, qui a contribué à «coloniser» au sens global du terme le territoire[64]. Les études qu'ont entreprises les chercheurs de l'Université du Québec à Chicoutimi et d'autres avant eux, comme Émile Benoist et Jean-Paul Simard en particulier, le prouvent de façon péremptoire[65]. Parmi ses membres, six seulement sont demeurés et sont décédés au Saguenay, les autres ont soit séjourné quelque temps, soit participé uniquement au financement de l'entreprise. Cependant, s'inscrivant dans le sillage des Vingt-et-Un, la région de Charlevoix fournit la plus grande part des immigrants. Entre 1842 et 1910, on estime leur nombre à 29 000. De plus, ces familles, éprises tantôt par le goût de l'aventure, tantôt par celui du changement, se caractérisent par une très grande mobilité spatio-temporelle. C'est sans doute l'un des plus grands mérites de Louis Hémon que d'avoir su détecter en si peu de temps ce trait marquant de la population régionale et de l'avoir pérennisé dans la personnalité de Samuel Chapdelaine[66].

Ce mouvement d'immigration est le fruit de l'initiative individuelle et de familles isolées[67]. Voyant dans le Saguenay une véritable terre promise, ces immigrants ont cherché essentiellement, en quittant leur région natale, à améliorer leurs conditions, à assurer l'établissement de leurs enfants et, dans certains cas, à surmonter leurs revers de fortune, résultats de la crise de 1820. Un extrait du journal *Le Canadien* du vingt-trois mars 1846 est à cet égard révélateur. Le journal rappelle la détresse dans laquelle sont plongés les habitants de Charlevoix:

> *Il est bien connu que la population du Saguenay n'est composée (à peu d'exceptions près) que des gens dont une partie avaient toujours vécu dans une extrême misère depuis leur enfance, et l'autre après avoir joui, autrefois, des plaisirs de la vie sociale et aisée, n'ont pu conserver leurs propriétés et celles de leurs ancêtres. Le Saguenay a été leur refuge où, aujourd'hui, ils ont l'avantage de gagner leur vie en travaillant aux chantiers et à ouvrir en même temps des terres qui, par leur industrie, obtenue par l'expérience du passé, pourront leur procurer une honnête aisance.*

Des stratégies diverses vont être mises de l'avant pour favoriser cette immigration; les archives notariales en contiennent de beaux exemples. En 1852, Auguste Godreau, cultivateur de Saint-Étienne-de-La-Malbaie, cède à son fils Louis une terre de trois acres acquise seize ans plus tôt, en tant que squatter et premier défricheur, à l'Anse-au-Foin dans le canton Tremblay[68]. Loin d'être un fait isolé, ce cas montre comment se constituait et se développait le capital foncier des anciens centres de peuplement de Charlevoix vers l'arrière-pays du Saguenay. Par ailleurs, comme le prix de la terre dans les paroisses de la côte est très élevé en raison de sa rareté et du surplus démographique, la vente d'un lot dans Charlevoix permet l'achat de deux ou trois au Saguenay. Dans de pareilles conditions, on peut comprendre que «les déplacements [aient impliqué] davantage des familles entières que des jeunes gens isolés[69]».

Cette immigration, au demeurant, revêt souvent la même forme[70]. Les hommes partent d'abord en éclaireurs, à la recherche d'un lot à cultiver et à bâtir. Après la construction d'un abri sommaire, le défrichement commence; vient ensuite le transport des animaux de la ferme, des provisions, de l'équipement et du ménage. Enfin les femmes et les enfants entreprennent le pénible voyage par voie de terre ou par voie d'eau. En construisant, en 1847-1848, un chemin d'hiver entre la rivière Noire et le Petit-Saguenay d'où les colons pouvaient emprunter les ponts de glace du Saguenay pour se rendre à la Grande-Baie, Price et Alexis Tremblay dit Picoté sont parmi les premiers à favoriser ce mouvement. En mars 1848, un contingent de 300 personnes s'apprête à quitter La Malbaie en direction de la région: Price demande alors au gouvernement de lui laisser trois concessions le long de la route pour établir des postes de relais avec maisons et écuries en vue d'assurer le confort et le soulagement des voyageurs[71].

Un vapeur au quai de Bagotville en 1882,
Canadian Illustrated News, Musée du Fjord.

Des contacts réguliers se développent entre les vieilles paroisses de départ et la nouvelle région d'adoption. Une fois par semaine, à compter de 1852, un postillon se charge du courrier[72]. Les marchands ambulants de La Malbaie, tel le jeune John Guay, puis les «commis-voyageurs» de Québec, à l'exemple de Charles-Napoléon Robitaille, à l'origine de l'érection de la statue Notre-Dame-du-Saguenay sur le cap Trinité, veillent à répondre aux besoins des habitants. Mais on constate aussi la transposition du système de valeur et des mentalités. Tandis que les gens de La Malbaie, qui se sont établis à la Grande-Baie, étaient connus pour leur sens des affaires, pour le goût du risque et du changement, les gens de la Baie Saint-Paul, qui, les premiers, ont occupé Bagotville, possédaient un tempérament plus conservateur, plus sédentaire et davantage «soumis aux traditions»[73].

Mais par delà ces éléments, ce sont avant tout les points d'eau et les chantiers qui jouent un rôle décisif dans la localisation des premiers noyaux de peuplement. C'est autour des moulins à scie que se constitue et se rassemble la population immigrante. Véritable pôle d'attraction la scierie structure le paysage avec sa cour à bois, son quai, sa forge, ses hangars, son magasin général, son bureau, les maisons des colons avec leurs granges et leurs écuries et, non loin de là, la ferme modèle qui fait l'admiration des journalistes et des fonctionnaires de passage[74]. En périphérie, le chemin de chantier est à l'origine du rang et au fur et à mesure que le bois disparaît, la colonisation s'installe à demeure, au gré de la fantaisie de chacun des colons, ce qui engendre par ricochet d'innombrables querelles de clôture et cause de nombreux obstacles à l'avancement de la colonisation.

Ce schéma d'aménagement est celui des établissements primitifs qu'ont mis sur pied Price et les colons à La Baie et à Chicoutimi avant l'érection des cantons. Dans l'intention de mettre un terme au mouvement des squatters, le gouvernement ordonne, en 1842-1843, l'arpentage de sept cantons dans le Bas et le Haut-Saguenay, soit Bagot, Chicoutimi, Simon, Laterrière, Simard, Tremblay et Harvey. Dans une lettre datée du vingt-trois février 1843 et adressée à son supérieur, l'arpenteur J.-E. Bouchette, chargé de la direction de cette mission, se réjouit de ce geste car, selon lui, la région peut «supporter une population d'au moins un demi-million d'âmes[75]».

Entre 1842 et 1845, les arpenteurs Jean-Baptiste Duberger, Louis Legendre, F. Têtu, J.-P. Proulx et Duncan S. Ballantyne dressent un premier bilan de cette occupation sauvage[76]. À la Baie des Ha! Ha!, Duberger recense 141 squatters, dont 62 à Saint-Alexis, 9 au Petit-Moulin, 49 le long de la rivière à Mars et 21 à l'Anse-à-Benjamin. Du côté de L'Anse-Saint-Jean, de l'Anse-au-Foin, du futur canton Tremblay, de la rivière du Moulin et de la rivière Chicoutimi, le constat est identique, à quelques variables près. Au total, en 1845, à peine trois ans après l'ouverture des Postes du Roi, le commissaire des terres de la Couronne évalue à 3 000 le nombre d'occupants illégaux établis dans le Bas et le Haut-Saguenay. Phénomène également répandu dans l'Outaouais et explicable par l'absence de numéraire et parce que le privilège de préemption est largement toléré au Saguenay, cette vague d'immigration montre le dynamisme et la promptitude dont les habitants de Charlevoix ont fait preuve pour s'implanter dans la région. En comparant ces données avec celles des archives notariales et des registres de l'état civil, on constate que toute une société est déjà en place avec une diversité d'occupations, des petits métiers artisanaux surtout, comme des forgerons, des tanneurs, des meuniers, mais aussi des navigateurs, des marchands, des maîtres d'école et des habitants au sens second du terme. Si la Baie des Ha! Ha! et Chicoutimi apparaissent comme les deux grands noyaux de peuplement, l'emprise de Price et de ses agents sur le territoire, les droits de coupe, le commerce et les colons qui y vivent sont tels que, entre 1844 et 1849, une opposition s'organise qui donnera naissance à la paroisse du Grand-Brûlé, aujourd'hui Laterrière.

Le père Jean-Baptiste Honorat

Chargé par ses supérieurs de jeter les bases d'une église organisée au Saguenay, le père Honorat débarque à la Grande-Baie avec trois autres de ses confrères, le quinze octobre 1844[77]. Fils d'un industriel français, il a exercé pendant vingt ans son ministère dans le diocèse d'Avignon où il a été confronté aux problèmes ouvriers. Il sympathise rapidement avec la population saguenéenne qu'il voit soumise aux agents de la maison Price. Cette domination se manifeste aussi bien dans le fonctionnement des établissements et dans le mode de paiement des salaires que dans l'utilisation des protêts pour récupérer les créances; cela va même jusqu'à empêcher les habitants de pratiquer leur religion, ce qui provoque une vive réaction de la part de l'oblat. Inspiré par les expériences du catholicisme social européen et croyant que la colonisation était une solution à l'indigence des colons et le moyen par excellence pour soustraire la population à l'influence contraignante du commerce du bois, le père Honorat crée, en mai 1846, peu avant le grave incendie qui détruisit les biens de 150 familles à la Baie des Ha! Ha!, une colonie agricole au Grand-Brûlé dans le canton Laterrière[78].

Situé à une dizaine de kilomètres au sud de Chicoutimi, ce canton nouvellement arpenté offre de grandes possibilités parce que le sol est riche, le terrain, plat, et surtout parce qu'il est traversé par le chemin Kénogami, première artère régionale qui permet aux colons de rejoindre, depuis Grande-Baie, Hébertville et le lac Saint-Jean. À la suite d'un différend avec Mars Simard[79], fondateur de Bagotville, qui l'oblige à revoir la localisation de ses établissements, le père Honorat achète, entre 1846 et 1848, avec le concours de quatre collaborateurs et l'autorisation de la communauté oblate, douze lots de terre dans le canton et se lance dans la construction d'une chapelle ainsi que d'un moulin à scie avec moulange. Cette nouvelle fondation attire rapidement l'attention des colons et suscite l'appréhension de Blair et de McLeod. Parce qu'il entraîne un déplacement de population, qu'il repose à la fois sur l'agriculture et l'industrie forestière et qu'il coupe la scierie de la rivière du Moulin de ses sources d'approvisionnement en bois, cet établissement contrevient directement aux intérêts de Price au Saguenay. La réaction ne se fait pas attendre.

Le trois mars 1849, pendant que Price se défend auprès du gouverneur du Canada-Uni d'accaparer l'industrie forestière dans la région et de s'opposer à l'expansion de la colonisation, McLeod émet un protêt contre le père Honorat qu'il accuse d'avoir détourné certains colons du Grand-Brûlé de leurs contrats d'engagement envers lui. Dans les mois suivants, McLeod et Price mettent de l'avant une stratégie afin de faire remplacer les pères Oblats par des prêtres séculiers. Affirmant que l'entreprise du père Honorat concurrence leur commerce et mène les Oblats à une faillite certaine, et l'accusant de trop s'intéresser aux questions sociales et de faire détester sa communauté, le clergé et l'Église tout entière, ils obligent ses supérieurs à le rappeler à la maison mère. En août 1849, après s'être défendu à plusieurs reprises contre ces attaques, Jean-Baptiste Honorat quitte le Saguenay, les biens du Grand-Brûlé étant vendus, en janvier 1853, à Jules Gauthier.

L'oeuvre du père Honorat laissera toutefois des traces au Saguenay. Ainsi, en juillet 1853, Louis Mathieu et Didier Harvey de Grande-Baie mettent à la disposition des colons et à un prix modéré leur moulin à scie de la rivière Ha! Ha! «pour les rendre libres et indépendants» de Price[80]. De plus, une série de cinq pétitions est adressée au gouvernement demandant l'ouverture immédiate de chemins de colonisation depuis Québec jusqu'au Lac-Saint-Jean, de Saint-Urbain et de La Malbaie jusqu'à la Grande-Baie, et de Grande-Baie jusqu'au Lac-Saint-Jean. Ces pétitions reçoivent l'appui du député du comté, Paschal de Sales de Laterrière, et donnent lieu à la présentation devant la Chambre d'Assemblée de trois projets de loi relativement à l'obtention du droit de vote, à la création des corporations municipales et scolaires et à l'établissement d'un bureau d'enregistrement à Chicoutimi et au Lac-Saint-Jean. L'agent des terres au Saguenay, le notaire John Kane, profite de ce contexte pour proposer l'érection d'un nouveau comté, de même que celle d'un district judiciaire avec juge résident.

Ce flot de requêtes et de projets de lois touchant les besoins en infrastructures et l'organisation des grands cadres institutionnels de la région, ainsi que la question du monopole de Price sur l'industrie forestière, amènent la nomination par le gouvernement, en août 1849, d'un commissaire enquêteur. Après avoir passé trois mois au Saguenay et visité tous les établissements depuis la Baie des Ha! Ha! jusqu'à Hébertville, où venait de s'implanter la colonisation, Jacques Crémazie présente, le vingt février 1850, son rapport devant la Chambre. Il y dénonce les conditions lamentables auxquelles se trouvent confrontés les colons saguenéens et jeannois:

Personne ne peut concevoir le désappointement éprouvé par le colon devant les avantages réels de la contrée. On les a tellement exagérés en faisant du Saguenay une sorte de terre promise où il fait bon vivre. Après quelques jours, le colon est déçu de son nouvel éden: pas de chemin, pas de marché pour les produits, point de tribunaux, point d'autorité d'aucune espèce. C'est le droit du plus fort appliqué dans tous les secteurs de l'existence[81].

Pour éliminer, entre autres, les fiers-à-bras de McLeod, Crémazie formule une série de recommandations qui vont dans le sens des requêtes et des projets de loi. Nouvellement formées dans le but d'assurer l'indispensable soutien et l'encadrement au colon, les sociétés de colonisation chercheront ainsi dans la seconde moitié du XIXe siècle, à partir du Lac-Saint-Jean, à faire appliquer par le gouvernement les diverses propositions du commissaire enquêteur.

Orientations bibliographiques

Martel, Louis-Antoine, *Notes sur le Saguenay*, (manuscrit), Chicoutimi, Centre d'études et de recherches historiques du Saguenay, 1968, 108 p.

Dechêne, Louise, *William Price, 1810-1850*, mémoire de licence, Québec, Institut d'histoire de l'université Laval, 1964, 168 p.

Simard, Jean-Paul, «Survol de l'histoire économique du Saguenay-Lac-Saint-Jean», *Économie régionale du Saguenay—Lac-Saint-Jean*, Chicoutimi, Gaëtan Morin éd., 1981, p. 17-72.

Chapitre IV

LA COLONISATION DU LAC-SAINT-JEAN

Avec la conquête du Lac-Saint-Jean, l'histoire régionale se complexifie, se diversifie. Si l'industrie forestière continue d'être le grand moteur du développement du territoire, d'autres facteurs interviennent qui modifient et structurent le paysage de la région et lui donnent une nouvelle vocation. L'appel à la terre lancé par les sociétés de colonisation compte parmi ces facteurs, mais ce phénomène est épisodique, éphémère[1]. L'implantation du chemin de fer, le développement de l'industrie laitière, la mise en place d'un réseau de navigation sur le lac et la présence d'une infrastructure récréo-touristique de calibre international confèrent au Lac-Saint-Jean une fonction industrielle et commerciale qui lui permet de surpasser en importance la zone du Haut-Saguenay[2]. En moins d'un demi-siècle, malgré les embûches causées par l'absence d'un circuit routier terrestre adéquat et grâce au dynamisme de la population et de son élite dirigeante, les résultats seront à ce point intéressants que la région comptera parmi les plus prospères du Québec. L'existence d'un réservoir de main-d'oeuvre, d'un potentiel forestier et hydraulique et d'un réseau d'échange avec l'extérieur permettra ainsi au Lac-Saint-Jean, à la fin du siècle dernier, de consolider ses assises économiques et institutionnelles et d'affirmer sa vocation industrielle en complémentarité avec le secteur agricole.

Hébertville, une terre d'accueil

C'est à la fin de 1840, pendant que la Révolution sème l'émoi et la terreur en Europe et que les colonies américaines connaissent l'ère du Far West et de la ruée vers l'or de la Californie, que naît le projet de la colonisation du Lac-Saint-Jean. Piloté par le curé Nicolas-Tolentin Hébert de Kamouraska[3], ce projet s'inscrit en réponse à l'appel de Mgr Pierre-Flavien Turgeon, alors coadjuteur de l'évêque de Québec, qui, dans une lettre circulaire en date du onze août 1848, invite les membres du clergé à donner suite à la formation des cantons par le gouvernement en fondant des sociétés de colonisation. Citant le cas de l'ouverture du Saguenay, appelé à devenir «une des plus opulentes régions du Canada», Mgr Turgeon y affirmait que la diffusion de ces organismes dans toutes les parties de la province permettrait de contrer non seulement le problème du chômage et de l'exode des ruraux vers les villes, mais d'atténuer l'important mouvement d'émigration des Canadiens français vers les États-Unis[4]. Entre 1844 et 1849, une enquête de la Chambre estimait en effet à 20 000 le nombre d'individus qui avaient quitté le pays pour aller remplacer les Yankees dans les manufactures de la Nouvelle-Angleterre[5]. Véritable «fléau national» qui risquait à plus ou moins brève échéance de mettre en péril la survie de la race et de faire diminuer l'influence politique du Québec au sein du Canada-Uni, ce mouvement, qui revêtait un caractère occidental, appelait un correctif d'ordre structurel ou socio-économique[6]. Plutôt que de s'engager dans l'industrialisation de la province et de débloquer des crédits dans la mise sur pied d'un réseau routier propre à favoriser le développement des régions, le gouvernement, contrairement à celui de l'Ontario, laisse au clergé le soin de régler cette question[7].

Fils d'un patriote qui s'est battu pour les siens en faveur de la conquête du sol, Nicolas-Tolentin Hébert voudra mettre à contribution ses talents d'organisateur pour enrayer l'exode

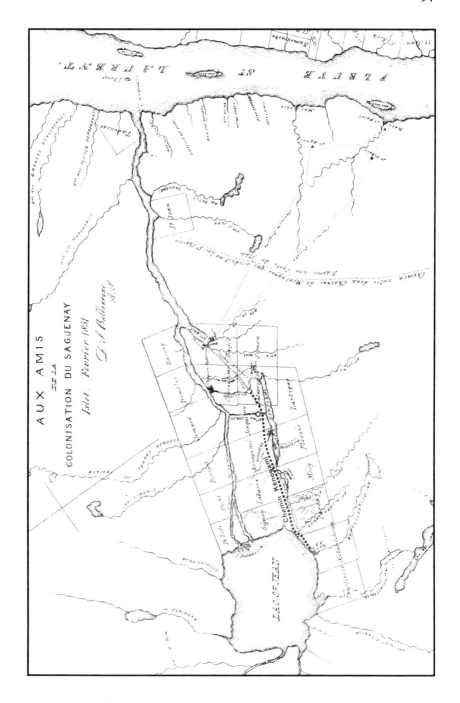

de ses paroissiens vers les États-Unis. La région du Lac-Saint-Jean n'était d'ailleurs pas inconnue des gens de Kamouraska[8]. Le seigneur de l'endroit, Paschal Taché, y avait longtemps travaillé à titre de commis pour le compte de la North West Company et son témoignage devant un des comités de la Chambre vers 1823 avait été déterminant dans l'octroi des subsides pour l'exploration du territoire en 1828. Comme le montre l'actuelle traverse Saint-Siméon/Rivière-du-Loup, il existait des liens naturels entre Kamouraska et le Saguenay. Adossés aux Appalaches et installés le long du fleuve, les Kamouraskois avaient devant eux, depuis toujours, l'embouchure du Saguenay. Dès 1842, pendant que McLeod s'implantait à Chicoutimi, des voyages étaient organisés pour développer les échanges et tisser un réseau de solidarité entre les deux régions, à l'exemple de celui de Charlevoix[9].

Fondée en janvier 1849, à Sainte-Anne-de-la-Pocatière, l'Association des comtés de l'Islet et de Kamouraska comprenait environ 300 membres et regroupait les représentants de neuf comités des paroisses du Bas-du-Fleuve[10]. Le fonds social était composé à partir de l'émission d'une action de 50 $ payable en dix versements semestriels. Un article des règlements prévoyait qu'au cas où un colon ne pourrait se procurer une action faute de numéraire, l'Association pouvait accepter sa force de travail en guise de paiement. Chaque action donnait droit à un lot de 100 acres, et pour éviter la monopolisation des terres, le maximum d'actions détenues par un membre était fixé à trois. Le capital recueilli devait servir à défrayer les 20 $ pour chacun des 337 lots octroyés par l'État, à ouvrir des chemins d'accès, à faire des défrichements et, si possible, à construire des maisons pour les colons. Après cinq ans d'existence, il était prévu que la Société serait dissoute et les lots tirés au sort parmi les membres.

La structure de l'association fera appel pour son fonctionnement à deux catégories d'actionnaires: les actionnaires colons et les actionnaires protecteurs. Si, en regard des principes, l'achat d'actions par les membres protecteurs équivalait à de la philanthropie, en réalité ce sont ces derniers qui seront les véritables promoteurs de la cause de l'Association. Majoritaires au sein du mouvement, ils assureront le soutien financier et les prolongements politiques nécessaires à la réalisation de l'entreprise[11].

Après la nomination du curé Hébert à la tête de leur mouvement, les membres de la Société vont choisir, en janvier 1849, le Lac-Saint-Jean pour y établir les colons, parce que les terres y étaient de meilleure qualité et moins coûteuses que dans le Bas-du-Fleuve et parce qu'avec l'ouverture en 1846 et 1847 des cantons Laterrière et Jonquière par le père Honorat et la Société de colonisation de la rivière aux Sables, l'espace utilisable dans le Haut-Saguenay était déjà largement occupé[12]. En février 1849, le gouvernement concède à l'Association les terres des cantons Labarre et Mésy, les cantons Signay et Caron situés en bordure du lac Saint-Jean ayant été accordés l'année précédente aux sociétés de Baie-Saint-Paul et de Saint-Ambroise. Malgré les piètres résultats obtenus par l'établissement d'une vingtaine de colons à l'embouchure de la Belle Rivière, le curé François Boucher de Loretteville se présente, avec la coopérative de Saint-Ambroise, comme le véritable promoteur de la colonisation du Lac-Saint-Jean. L'intervention du curé Hébert se situera dans le prolongement de cette action[13].

C'est en juin 1849 que l'association de l'Islet et de Kamouraska entreprend l'exploration du canton et confie à l'arpenteur Duncan S. Ballantyne, un de ses membres, le soin d'en faire la subdivision. Le vingt et un août, les défrichements débutent sous la conduite du curé Hébert. Pendant deux mois, une quarantaine d'actionnaires pratiquent des abatis de 200 arpents, prêts à être brûlés au printemps suivant. De plus, un chemin d'hiver est tracé depuis Laterrière jusqu'au Portage-des-Roches, en bordure du lac Kénogami. La réalisation de ces travaux permet au curé Hébert de faire une première évaluation de la qualité de la terre et des difficultés que devra rencontrer l'Association à propos des voies de communication avec les anciens centres de peuplement[14].

Une fois réglée la controverse autour de la propriété de la chute des Aulnets que convoitent les gens de Baie-Saint-Paul et éliminée les empiétements de McLeod sur le bois du canton[15], le curé Hébert débarque en mai 1850 à la Grande-Baie avec un premier contingent de colons. Comme le rappelle un descendant de la famille, le père Pierre-Maurice Hébert, les expéditions réalisées dans la région revêtent toujours un certain caractère dramatique: «On part de Kamouraska dans une frêle goélette, parfois à travers les glaces. Souvent, quand il y a des vents, la goélette dérive et échoue. C'est parfois un vieux bâtiment qui prend l'eau. Quand les personnes y sont entassées, avec veaux, vaches, cochons et chevaux, la cohue est énorme. Ajoutez à cela le mal de mer et vous aurez un peu le tableau que décrit le curé Hébert au cours d'un de ces voyages[16]».

Le vingt mai, la caravane arrive au Portage-des-Roches, une vingtaine de kilomètres restant encore à franchir avant d'atteindre la première limite du canton Labarre[17]. Sillonné de plusieurs cours d'eau, et couvert de boisé et de rochers, le terrain offre partout des difficultés presque insurmontables. Le transport sur le lac Kénogami apparaît certes plus facile avec une goélette ou un bateau à vapeur, mais non avec les deux embarcations de faibles dimensions alors utilisées. La nécessité faisant loi, on construit sur-le-champ un radeau de 12 mètres de longueur sur 6 de largeur. Au milieu, raconte l'abbé François Pilote, secrétaire et chroniqueur de l'Association[18], on met 4 chevaux, 2 vaches, 300 bottes de foin, 6 quarts de lard, 10 quintaux de farine, 1 500 planches et 500 madriers. Quarante hommes sont placés sur les bords pour ramer; les voiles sont tendues et l'on s'éloigne lentement de la rive. Les deux barges placées à l'amont et poussées par huit hommes marquent l'avancée des colons. Vingt-quatre heures plus tard, le vingt-cinq mai, la caravane arrive enfin à l'autre bout du lac, sur les terres convoitées.

Vivant sous la tente ou dans des «campes» de fortune, les familles s'adonnent pendant cinq mois au défrichement et au prolongement du chemin Kénogami. Non seulement le travail est ardu et la vie, misérable, mais les mouches causent dans cette forêt de conifères de nombreux ennuis. «C'est plus sérieux qu'on pense, écrit le curé Hébert à son évêque. Il y a des hommes qui ne sont jamais capables de résister parce qu'ils sont tellement injuriés [sic] qu'ils ne voient plus clair. La fièvre s'empare d'eux. Enfin, ils sont obligés d'abandonner le champ de bataille, pour se conserver la vie[19]».

Malgré tous ces obstacles, la détermination des colons à vouloir posséder un lopin de terre est telle qu'en 1851, année qui marque vraiment le début de l'occupation permanente, les déboisements atteignent plus de 1 000 acres de chaque côté du lac Kénogamichiche et de la rivière des Aulnets[20]. Deux ans plus tard, en 1853, pas moins de 120 habitants résident dans le canton; un moulin à farine et une scierie, installés à la chute des Aulnets, répondent aux besoins de la communauté et sont à la base de la formation du village. Placé entre le Haut-Saguenay et le Lac-Saint-Jean, Hébertville tire en outre avantage du commerce du bois en vendant des billots et le surplus de sa production agricole à William Price, ce qui permet à la Société du curé Hébert de défrayer une partie des opérations de la colonisation. Les liens avec Chicoutimi de même qu'avec la ville de Québec ne cessent de s'intensifier avec le temps. Jusqu'à l'arrivée du chemin de fer à Roberval en 1888, c'est un rôle de centre de transit et de centre de service, avec la présence entre autres du bureau d'enregistrement, qu'exerce Hébertville auprès des autres paroisses du Lac. Une petite bourgeoisie marchande établie sur la rue Labarre se charge d'assurer cette fonction et de contrôler la propriété foncière et la vie publique villageoise[21].

En 1856, après avoir investi 25 000 $ et établi 150 colons, l'Association des comtés de l'Islet et de Kamouraska est dissoute[22]. Sur les 337 lots concédés par le gouvernement, 95 restent encore inoccupés, mais le phénomène des actionnaires absentéistes n'explique pas à lui seul cette situation. Si le bassin de population du Bas-du-Fleuve n'était pas non plus suffisant pour alimenter sur une longue période la conquête des terres neuves du Saguenay, le problème des voies d'accès et de l'éloignement était à ce point important qu'on peut comprendre les déboires de la Société: son déficit de plus de 5 000 $ assumé par le Collège de La Pocatière et la lenteur dans la colonisation du Lac-Saint-Jean. Le curé Hébert n'était d'ailleurs pas dupe à ce sujet. En mars 1862, il écrivait à David Edward Price, le député du comté, dans le but d'obtenir des subsides pour le chemin Kénogami dont le parachèvement était prévu pour 1856-1857. «Si la société avait su, souligne-t-il, elle n'aurait pas entrepris une telle colonisation et placé un certain nombre de colons pour les exposer à être privés d'une voie de communication avec le port de mer qui leur était indispensable[23]». Alors que dans les colonies américaines le chemin de fer précède l'avènement des fermiers[24], dans les régions du Québec nouvellement ouvertes à la colonisation, c'est le contraire qui se produisait. Les colons étaient laissés totalement à eux-mêmes et quittaient après quelques années comme le rappelait Arthur Buies, le secrétaire du curé Labelle, faute de marchés ou de débouchés pour leurs produits. Aussi, les sociétés de colonisation du type de celle du curé Hébert ne pourront remplir leurs objectifs d'enrayer le mouvement d'exode des Canadiens français vers les États-Unis. Reconnues seulement en 1869 par le gouvernement, elles ne réapparaissent au Lac-Saint-Jean, sauf exceptions, que dans le dernier quart du XIXe siècle, la colonisation individuelle à la suite de l'exploitation forestière continuant d'être à nouveau la principale explication de la conquête du sol au Saguenay—Lac-Saint-Jean[25].

Le recul de la frontière

Jusqu'à l'arrivée du chemin de fer et de la navigation sur le lac, la colonisation au Lac-Saint-Jean se fera péniblement. La dimension et la configuration du lac, ses variations de niveau, l'importance de ses tributaires et l'obligation d'emprunter le long corridor de 120 kilomètres du chemin Kénogami pour se rendre au Saguenay influenceront et détermineront pour beaucoup la marche du peuplement. Il faut compter en effet près d'une vingtaine d'années pour occuper cette partie du territoire comprise entre Hébertville, la paroisse-mère du Lac, et Saint-Félicien, à son extrémité sur la rive sud. Pendant que, du côté d'Alma, une quinzaine d'années sont nécessaires pour mettre en valeur le potentiel agro-forestier de ce secteur, la colonisation n'atteint la rive est qu'à la fin de 1880 et au commencement des décennies

Le bac de Saint-Coeur de Marie et de l'île d'Alma, ANQ-C, Fonds Notman

1890 et 1900. Si le grand feu de 1870 marque une césure importante dans ce mouvement, c'est parce qu'un plan de reconstruction s'imposait avant d'y amener de nouveaux colons. Coïncidant avec une des grandes crises cycliques de l'économie occidentale, cet événement entraîne dans sa suite un ralentissement dans le commerce du bois et un premier courant d'immigration extra-régional[26].

Bien que considérée, dès 1862, comme contraire aux intérêts du Haut-Saguenay, la consolidation des centres habités autour de Chicoutimi se présentant davantage aux yeux de plusieurs comme une priorité afin d'éviter la spéculation foncière et le dispersement inutile du peuplement[27], la colonisation des basses terres du Lac-Saint-Jean résulte de l'interaction des entrepreneurs forestiers, des colons et des familles isolées ainsi que des sociétés de colonisation établies principalement en périphérie de Québec. Loin d'être un mouvement orienté dans un sens est-ouest qui conduirait une partie de la population du Bas et du Haut-Saguenay à se déplacer et à se fixer vers le Lac, les premiers établissements fondés au Lac-Saint-Jean prennent appui sur les principaux points d'ancrage de l'ancienne route des fourrures et sur les possibilités forestières et agricoles des cantons[28].

Ainsi, du point de vue forestier, deux ans avant la création d'Hébertville, William Price opère déjà d'importants chantiers dans le secteur de la Grande Décharge[29]. En 1850, les forêts de Péribonka et de Saint-Coeur-de-Marie (Mistook) sont mises en valeur; en 1855, lorsque Thomas Jamme aménage une scierie et un moulin à farine à Roberval, des exploitations sont ouvertes, en plus de celle de la Métabetchouane, sur la rivière à l'Ours à Saint-Félicien[30]. Comme le bois est dravé en direction du lac et qu'une certaine partie se perd chaque année dans les divers canaux secondaires des décharges, David Edward Price obtient du gouvernement, en 1856, des subsides pour l'érection des estacades et des barrages de la Petite et de la Grande Décharge. Exécutés entre 1856 et 1860 au coût de 45 000 $, ces travaux comprennent aussi la construction d'une glissoire de trois kilomètres de long qui permet de diriger les billots au Saguenay, où ils sont transformés en planches, en madriers et en colombages, aux grandes scieries de Chicoutimi et de Grande-Baie[31]. Démantelé en 1890, cet équipement est à l'origine d'Alma. Damase Boulanger, un des anciens contremaîtres de Price et de McLeod et gardien de la glissoire, s'y installe le premier avec sa famille en 1863[32].

Mais si l'industrie forestière avec ses exigences de main-d'oeuvre a incité le gouvernement à créer en 1856 la réserve montagnaise de Pointe-Bleue, elle ne sera pas le seul motif du développement du Lac-Saint-Jean. Entre 1862 et 1863, alors que le pourtour sud-est du lac est parsemé de colons, le curé Grégoire Tremblay de Beauport acquiert, au nom de ses paroissiens, plus de 60 lots dans le canton Ashuapmushuan[33]. Suivant l'exemple du curé Hébert, lui-même engagé dans l'entreprise, le curé Tremblay, qui contribue également à la colonisation des paroisses de Saint-Jérôme à Métabetchouan et de Sainte-Anne sur la rive nord de Chicoutimi, vante auprès des siens les mérites du canton et se fait le défenseur de la construction d'une route entre Québec et le Lac-Saint-Jean[34]. En 1869, au moment où elle arrive à Saint-Jérôme et que le chemin Kénogami se rend jusqu'à Saint-Prime où sont implantés les colons du curé Tremblay, plusieurs familles venues de diverses paroisses des alentours de Québec y pratiquent déjà l'agriculture. Il en est de même d'ailleurs dans le canton voisin, le canton Demeules, où est établi Saint-Félicien. La venue de ces immigrants en provenance de l'île d'Orléans, de la côte de Beaupré, de Bellechasse, de Québec, de la Beauce et des Cantons de l'Est amène un élément d'hétérogénéité à l'intérieur de la population saguenéenne jusque-là identifiée à la région de Charlevoix. Ce trait distinctif du Lac-Saint-Jean, qu'on retrouve aussi dans l'architecture du paysage bâti, s'accentue avec l'avènement

La route du cran à Saint-Prime, ANQ-C, Collection Livernois.

du chemin de fer qui permet de diversifier les lieux de provenance du courant migratoire.

Cette première étape du développement du territoire est cependant sapée par le grand feu de 1870[35]. Cette année-là, le printemps se révèle relativement hâtif et la sécheresse est partout extrême. Le dix-neuf mai, des colons pratiquent des feux d'abatis pour accélérer les défrichements; le vent s'en mêle et tourne la partie sud-est et sud-ouest de la région en un vaste brasier, depuis Saint-Félicien jusqu'à la Grande-Baie, à l'exception de Chicoutimi. Les pertes encourues sont énormes: 155 maisons et granges sont détruites, les chapelles de Saint-Jérôme et de Chambord sont en cendres, 30 ponts anéantis, de même que 4 moulins et 28 000 billots propriété de Price. Les dégats évalués à près de 500 000 $ sont tels qu'une campagne est immédiatement levée, organisée par Pierre-Alexis Tremblay, le premier député du comté à Ottawa, et par le curé Dominique Racine de Chicoutimi pour secourir les sinistrés. Outre la participation de la Price Brothers et de la Hudson's Bay Company[36], une somme de 125 000 $ est recueillie partout au Québec et même en Ontario. Le programme de reconstruction n'est pas sans

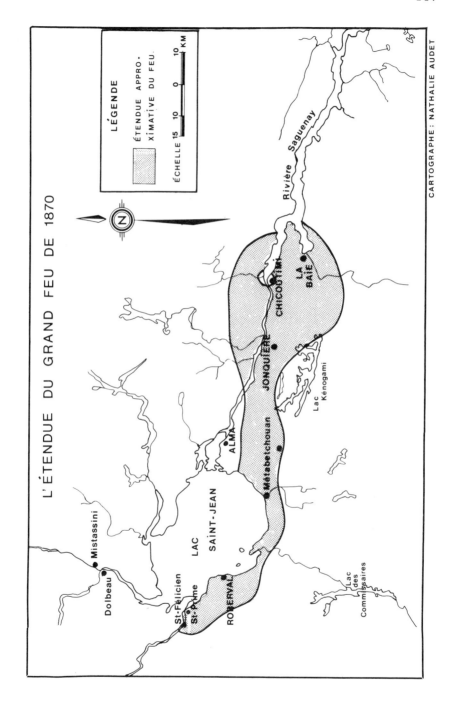

L'ÉTENDUE DU GRAND FEU DE 1870

LÉGENDE

ÉTENDUE APPRO-
XIMATIVE DU FEU.

ÉCHELLE 15 10 0 10 KM

CARTOGRAPHE: NATHALIE AUDET

problème puisque le prix du bois est élevé en raison de sa rareté. Si dans l'année du grand feu la population fait preuve de détermination et de courage en restant sur place, dès 1872-1873 un mouvement d'émigration se dessine, en particulier du côté des paroisses les plus populeuses comme Roberval et Alma[37]. Le journal *Le Canadien* explique ces départs par le refus du crédit marchand et par la rareté du numéraire, par l'état de pauvreté des colons et l'éloignement des marchés[38]. En 1875, la crise de l'économie occidentale affecte à ce point le commerce du bois que Price Brothers coupe du tiers le prix des billots. De plus, non seulement songe-t-il à vendre à d'autres intérêts ses établissements dans le Saguenay, mais il consent à payer les passages des colons qui veulent quitter la région. Aussi, voit-on dans le journal personnel de Jean-Baptiste Petit, un marchand de Chicoutimi, plusieurs mentions de gens qui empruntent le bateau en direction de Québec, de Montréal et des États-Unis[39]. Symptomatique de la misère et de la détresse dans lesquelles était plongée la population, la situation ne s'améliorera qu'au cours des deux décennies suivantes.

Le chemin de fer

C'est en effet à compter de 1880-1890 que le Saguenay et plus précisément le Lac-Saint-Jean commencent à présenter un nouveau visage, axé davantage sur la diversification. Certes l'établissement de grandes institutions, celles du Séminaire de Chicoutimi en 1873, l'érection du diocèse en 1878 et l'avènement des Ursulines à Roberval en 1882, contribuent à favoriser ce changement, mais l'agriculture connaît également une importante transformation. Jusque-là, il faut bien le souligner, il s'agit d'une agriculture de subsistance. Accrochés dix mois durant au cycle de l'industrie forestière, les colons étaient incapables de produire des surplus[40]. L'auraient-ils souhaité ou voulu que les conditions et les moyens de transport les en empêchaient carrément. Aussi, leur production ne réussissait jamais à satisfaire leurs besoins, ce qui les obligeait à importer de la farine et du lard, ou à s'approvisionner à même le magasin des Price qui, avec leurs fermes modèles dont celle de Grande-Baie, produisaient autant de grains que tous les colons de l'endroit et s'adonnaient avec une centaine d'employés à l'élevage de boucherie[41]. Dans sa série d'articles au *Courrier de Saint-Hyacinthe*, Boucher de La Bruère ne manque pas de signaler l'importance des communications rapides pour favoriser le développement du commerce d'exportation :

> *Les mêmes causes produisant les mêmes effets, écrit-il en 1880, le Saguenay ne sera véritablement un pays d'avenir que lorsqu'un chemin de fer l'aura mis en relation directe avec le reste du pays. Tout est là, et c'est la question à l'ordre du jour pour l'intelligente population de ce beau territoire. Elle le comprend si bien qu'elle soupire après l'instant où il lui sera donné de voir la locomotive traîner à sa remorque des chars chargés de produits agricoles. [...] C'est quand on est sur les lieux, poursuit-il, qu'on remarque l'isolement dans lequel se trouve cette brave colonie. Ayant à franchir des distances de 10, 20, 30 et 35 lieues [de 38 à 136 kilomètres] pour venir à Chicoutimi ou à Saint-Alphonse [de Bagotville]; étant obligé de parcourir de nouveau ce chemin pour retourner à domicile, comment peut-on comprendre que l'agriculture puisse prospérer et qu'une industrie quelconque puisse s'implanter dans des endroits aussi reculés[42]?*

C'est dans ce contexte que se posera la question du chemin de fer. Un double mouvement favorise fortement sa réalisation. Le premier a trait à l'avènement d'une génération d'immigrants qui est davantage intéressée au travail de la terre qu'à celui de la forêt. Comme Onésime Tremblay, le père du fondateur de la Société historique du Saguenay, arrivé depuis peu des États-Unis avec un certain capital[43], ces colons convoitent les meilleures terres du Lac, celles de Couchepagane à Saint-Jérôme et de Normandin entre autres, où est installée depuis 1936 la Ferme expérimentale du gouvernement fédéral. En plus de contribuer à faire augmenter la surface du domaine cultivable, ceux-ci pratiquent largement l'industrie laitière; les fromageries qui voient le jour durant cette période, à l'exemple de celle des Perron en 1887 à Saint-Prime, permettent de rentabiliser les troupeaux.

Le second mouvement en faveur de la construction du chemin de fer provient de Québec. La perte de la suprématie portuaire de la Vieille Capitale au profit de Montréal, le déclin de son industrie de la construction navale et de son commerce du bois amènent les représentants de la bourgeoisie d'affaires de Québec à vouloir compenser cette décroissance des activités économiques traditionnelles par la mise en valeur des richesses naturelles du Lac-Saint-Jean[44]. Selon ces derniers, l'aménagement du chemin de fer favoriserait non seulement la création d'emplois pour la population ouvrière, mais en drainant les ressources de l'arrière-pays en direction de la capitale, la ville de Québec parviendrait par ce moyen à réaffirmer sa vocation industrielle et commerciale[45].

Malgré des protestations sur l'opportunité d'une pareille voie ferrée alors que le versant nord entre Québec et Montréal en était dépourvue, le projet s'enclenche véritablement en 1869 avec la formation de la Compagnie du chemin de fer Québec-Godford. En raison de la faiblesse des subsides gouvernementaux, la compagnie convient de construire un chemin de fer sur «lisses de bois». Pendant près d'un an, le train circule sur une distance de 40 kilomètres entre Québec et Godford. Le projet entraîne l'aménagement de trois scieries et le transport de quantités importantes de bois de chauffage et de construction en direction de Québec. Comme le verglas et les tempêtes hivernales empêchent la circulation

REGION DU LAC ST. JEAN.

des convois durant la saison froide, la compagnie décide en 1874 d'abandonner l'utilisation de ce type de voies[46].

En 1875, la Législature provinciale consent à verser 450 000 $ à la compagnie, payables en cinq versements, selon l'avancement des travaux. L'arpenteur Horace Dumais de Roberval se voit confier la mission d'explorer le contrefort des Laurentides afin de fixer le tracé du chemin de fer. Après avoir adopté la route du lac Édouard, la Compagnie Québec-Godford passe en d'autres mains et devient en 1879 la Compagnie du chemin de fer Québec-Lac-Saint-Jean[47]. Parmi les actionnaires et le conseil d'administration se trouvent plusieurs personnages importants de Québec, dont le sénateur et banquier James Gibb Ross, l'homme d'affaires James Guthrie Scott, de même que sir Adolphe Caron et le député Élisée Beaudet, président du Crédit foncier franco-canadien. L'entrepreneur américain Horace-Jansen Beemer, qui possède une longue expérience dans ce genre de travail et qui sera impliqué dans le chemin de fer du curé Labelle, obtient le contrat de construction[48].

En 1880, la compagnie inaugure la première section de son tracé entre Québec et Saint-Raymond de Portneuf. Cinq ans plus tard, elle touche la rivière Batiscan et se rend au lac Édouard en 1886. L'année suivante, le chemin de fer arrive à Lac-Bouchette, à 256 kilomètres de son lieu de départ et, en 1888, la compagnie complète son dernier tronçon entre Chambord et Roberval[49].

Horaire des trains de Québec-Lac-Saint-Jean en 1888, SHS.

L'arrivée du train au Lac-Saint-Jean crée un vif émoi parmi la population. Lors de l'inauguration, le dix décembre 1888, les journaux en profitent pour faire état d'une ère nouvelle pour la région et pour fustiger les prophètes de malheur qui n'avaient pas cru en la faisabilité du projet. Rapidement cependant Chicoutimi et Saint-Alphonse demandent, par la construction de leur tronçon, le parachèvement du chemin de fer. Si Chicoutimi obtient en 1893 gain de cause, à la suite d'un octroi de 12 000 $ accordé à la compagnie par la municipalité et de l'intervention de Mgr Dominique Racine, premier évêque du diocèse et ami personnel de sir Hector Langevin à Ottawa, il en sera autrement pour Saint-Alphonse[50]. Bien que d'un point de vue régional l'embranchement Chicoutimi-Saint-Alphonse constitue le prolongement logique de la ligne Québec-Lac-Saint-Jean en raison du port de mer naturel qu'offre la baie des Ha! Ha!, ce tronçon ne pourra être réalisé, car il est jugé contraire aux intérêts du milieu d'affaires de Québec[51].

Tout en permettant à la région de sortir de son isolement hivernal, de réduire le temps des déplacements et d'améliorer la régularité des horaires de voyages, le chemin de fer

La gare de Roberval, Collection Y. Gauthier.

bénéficiera grandement à l'industrie laitière et au commerce du bois[52]. Entre 1889 et 1894, le volume du fret passe de 104 000 à 145 000 tonnes. Les exportations de fromage atteignent en 1894 plus d'un million de livres, soit le double de l'année précédente. Du côté de l'exploitation forestière, la valeur de la production de bois de construction, de bois de chauffage, de traverses et autres dérivés de la forêt se chiffre à 600 000 $. De plus, avec l'établissement de la scierie des Scott et Ross en 1888 à Roberval, une concurrence commence à se faire sentir à l'intérieur de cette industrie[53]. Non seulement Price Brothers n'est plus la seule entreprise à se livrer à la mise en valeur des parterres de coupe du Lac-Saint-Jean, mais Scott et Ross expédient eux aussi leurs produits sur le marché anglais[54]. Enfin, la colonisation profite, par extension, du chemin de fer en facilitant le transport des nouveaux colons et en développant, avec le concours de la navigation, les terres situées plus au nord, entre Mistassini et Péribonka.

La voie ferrée ne produira toutefois pas que des effets positifs. Pour certains villages, à l'exemple de Saint-Alphonse et d'Hébertville, le train provoque à leur détriment un changement dans le réseau des échanges[55]. Roberval, sur ce plan, est davantage privilégié. L'arrivée du chemin de fer marque ainsi pour lui le signal de son essor maritime, commercial et touristique, puisque le terminus du Québec Lac-Saint-Jean s'y trouve localisé.

L'essor de Roberval

Intimement associée aux intérêts des entrepreneurs forestiers et du chemin de fer, la navigation sur le lac Saint-Jean permet de donner une recrudescence au mouvement de la colonisation et du commerce[56]. Hormis les établissements de Normandin et Saint-Méthode, en 1878, et de Saint-Henri-de-Taillon en 1883, un vaste secteur de bonnes terres arables restait encore à exploiter sur la rive nord du lac Saint-Jean. Si la voie ferrée et l'implantation d'un réseau de navigation sur le lac concourent à la fondation de Péribonka en 1888 et à celle de Mistassini en 1892 par la communauté des pères Trappistes, c'est surtout la Société de colonisation et de rapatriement du Lac-Saint-Jean qui utilisera ces moyens pour promouvoir l'immigration dans la région[57]. Dotée de fortes assises financières et d'une structure imposante, la Société entreprend vers 1897 une campagne de promotion tant aux États-Unis qu'en Europe pour peupler et mettre en valeur les terres du Lac-Saint-Jean et du Saguenay. En collaboration avec le gouvernement fédéral, des agences sont établies en France, en Belgique, en Hollande, en Suède, en Finlande, en Angleterre et en Écosse. Contribuant à faire connaître considérablement la région à l'étranger, la Société émet jusqu'à sa disparition en 1907 près de 18 000 billets de colonisation. Bien que la plupart de ces immigrants ne font que séjourner, les terres décrites dans les dépliants promotionnels ne correspondant pas toujours à la réalité et plusieurs d'entre eux ne sachant même pas manier la hache, un important va-et-vient de toutes nationalités en découle, qui oblige la Société à construire des maisons d'accueil pour les immigrants à Roberval et à Péribonka.

Ces nouveaux colons, ajoutés à ceux déjà en place autour du lac, entraînent l'implantation de lignes de navigation sur le lac Saint-Jean. En plus des bateaux des Price et de Scott qui sont affectés au transport du bois, cinq compagnies de bateaux à vapeur se disputent la clientèle en 1905[58]. Le quai de Roberval qui appartient au groupe Scott, Ross et Beemer se révèle, par la présence du terminus ferroviaire, le pivot du trafic. Les principaux postes desservis par Roberval sont Saint-Prime, Saint-Félicien, Mistassini, Péribonka, Saint-Henri-de-Taillon et Mistook.

Malgré l'importance et l'hétérogénéité du trafic, la navigation sur le lac ne sera pas toujours facile et de tout repos pour les capitaines et les propriétaires de bateaux. La variation de niveau du lac Saint-Jean, la fréquence des bancs de sable, les billots et les divers déchets de l'industrie forestière laissés au fond du lac par la drave et les activités du sciage ainsi que les constants déficits des compagnies de navigation contribuent à rendre difficile, voire quasi inopérant ce trafic, possible uniquement un ou deux mois par année par suite du manque d'eau[59].

Bateaux faisant le service sur le lac Saint-Jean, Collection Y. Gauthier.

Si les colons ou les marchands doivent par ailleurs s'armer de patience pour traverser le lac, son immensité, sa beauté naturelle et sa richesse faunique émerveilleront à ce point l'américain Beemer que celui-ci se lance, en 1888, dans la construction d'un vaste complexe récréo-touristique d'envergure internationale[60]. S'appuyant sur le chemin de fer et sur une soixantaine de charretiers pour y amener les touristes, il érige à Roberval, selon un style Second Empire, un hôtel de 300 chambres avec un chalet privé, l'Island House, bâti sur une des îles du lac, non loin de la Grande Décharge. Un vapeur, le *Mistassini*, fait la navette et convie une riche clientèle, venue aussi bien des États-Unis ou du Canada que de l'Europe ou de la Russie, à se livrer à la pêche à la ouananiche ou à la chasse à l'orignal ainsi qu'au tennis, à la baignade et à des promenades en embarcation ou en voiture. Entre 1899 et 1903, mille visiteurs par saison en moyenne circulent dans ces établissements; le prix d'une chambre est fixé à 2,50 $ par jour, soit deux fois le salaire quotidien d'un journalier d'usine[61].

Contribuant à la renommée de Roberval, l'hôtel Beemer et ses annexes, de même que la pisciculture, construite en

Hôtel Beemer à Roberval, Collection Y. Gauthier.

1897 pour favoriser le repeuplement des espèces du lac et du Saguenay, rendent compte, avec le chemin de fer, la scierie des Scott et Ross et le quai, de l'essor démographique rapide de Roberval à la fin du siècle dernier et du développement du secteur des services et de la petite industrie[62]. Après Chicoutimi, Roberval est en effet la première municipalité de la région avec ses 2 000 habitants en 1900 à posséder un réseau d'électricité, d'aqueduc et de téléphone. Afin de répondre aux besoins de la population, plusieurs petites entreprises voient alors le jour, en particulier une meunerie, la scierie des frères Gagnon, une briqueterie, une fonderie, une manufacture de laine et une fabrique de tabac, de bière et d'eau gazeuse. Outre le commerce qui est en phase de structuration autour de la maison de gros Côté et Boivin, des marchands généraux comme Euloge Ménard, des bijoutiers, des modistes, des photographes, des restaurateurs et des épiciers et la présence de plusieurs hebdomadaires au nom évocateur comme *Le Lac-Saint-Jean*, *Le Rapatriement*, *Le Colon* et *Le Défricheur*, l'industrie du bleuet occupe une très grande place. Née à la suite du grand feu de 1870 et développée initialement à Saint-Alphonse[63], cette exploitation occupe pas moins de 7 000 cueilleurs au mois d'août dans la région en 1905. Deux fois par semaine, le mercredi et le samedi, les caisses de bleuets, en provenance des diverses paroisses, arrivent par chemin de terre et par voie d'eau à la station ferroviaire de Roberval. De 115 à 150 wagons partent chaque été pour le marché de Montréal et des États-Unis. Avec des retombées annuelles de 50 000 $ à 100 000 $, cette industrie constitue une véritable manne pour les colons et les marchands locaux. Additionné aux activités de la forêt et à la vente du fromage, ce type d'économie de subsistance pratiqué durant cette période est non seulement inscrit dans un réseau intrarégional, mais est largement ouvert au mouvement du commerce extérieur contrairement au temps des premiers défrichements[64].

Marché de bleuets à Roberval, Collection Y. Gauthier.

La fin d'une époque

Vers 1910, la capitale du Lac-Saint-Jean connaît cependant d'importants changements qui sont à l'origine de sa perte de pouvoir à l'échelle régionale au profit de Chicoutimi[65]. Le déplacement en 1907 du terminus ferroviaire de Roberval vers Saint-Félicien, prélude de l'exploitation minière de Chibougamau-Chapais, la disparition de la Société de colonisation et de rapatriement, l'incendie de l'hôtel Beemer en 1908, l'arrivée de l'automobile qui annonce la primauté des communications terrestres au détriment de la circulation maritime, et la fermeture de la scierie de Scott et Ross en 1910, qui employait à elle seule près de 200 travailleurs, sont autant de causes de cette régression[66]. Si le départ des principaux éléments de l'élite dirigeante qui ont façonné l'image et l'armature sociale de Roberval explique aussi le déclin, la politique économique du gouvernement Laurier en partageant le Canada en deux vocations, l'Est industriel et l'Ouest agricole, vient sceller pour un temps, avec la saturation des meilleures terres arables, l'essor de l'immigration au Saguenay—Lac-Saint-Jean[67].

Certes, la population régionale avec ses 34 paroisses et ses 35 000 habitants en 1901 était loin des 500 000 pressentis par J.-E. Bouchette en 1843. Mais le progrès de l'agriculture, à l'exemple de celui du Québec, était à ce point significatif qu'en moins d'un demi-siècle, à force de persévérance et de conviction, les 4 000 exploitants agricoles plaçaient le Saguenay—Lac-Saint-Jean au sixième rang des régions du Québec pour la valeur de sa production[68]. La fondation de l'école ménagère de Roberval, des cercles agricoles et de la ferme des Trappistes à Mistassini ont assurément constitué pour cette classe de travailleurs une source d'inspiration pour l'amélioration des techniques agricoles[69]. Dans la perspective de l'ouverture des produits régionaux aux marchés extérieurs, cette spécialisation orientée vers l'industrie laitière et l'intensification des rendements s'avéraient essentielles. Elles le seront encore plus au XXe siècle du fait de l'avènement de la grande industrie. Une sorte de division des fonctions s'opérera d'ailleurs au sein de la région, faisant du Lac-Saint-Jean le foyer principal de l'agriculture, et du Saguenay celui de l'industrie. Cette complémentarité des vocations reste encore aujourd'hui un trait marquant du paysage régional. Fort du développement de son secteur agricole et de son potentiel forestier et hydraulique, le Saguenay—Lac-Saint-Jean était donc en mesure de se lancer, à la fin du siècle dernier, à l'assaut de la grande industrie et de poursuivre la conquête de sa part de marché, à l'intérieur des vicissitudes de l'économie occidentale.

Orientations bibliographiques

Séguin, Normand, *La conquête du sol au 19ᵉ siècle*, Québec, les Éditions du Boréal Express, 1977, 295 p.

Pépin, Pierre-Yves, *Le Royaume du Saguenay en 1968*, Ottawa, Ministère de l'Expansion économique régionale, 1969, 435 p.

Vien, Rossel, *Histoire de Roberval, coeur du Lac-Saint-Jean, 1855-1955*, [s.l.], Publications de la Société historique du Saguenay, n° 15, 1955, 369 p.

Chapitre V

L'AVÈNEMENT DE LA GRANDE INDUSTRIE

Si certaines années comme 1676, 1838 et 1888 marquent des étapes déterminantes de l'histoire régionale, l'année 1896 doit nécessairement compter parmi celles-là. Non seulement l'idée de progrès commence à être véhiculée et à prendre racine au Saguenay—Lac-Saint-Jean, mais des réalisations s'accomplissent qui confirment le passage à une autre étape, à une autre génération. Entre 1896 et 1926, en moins de trois décennies, la région connaît une telle transformation que les pionniers de 1860 ou de 1880 ont de la peine à s'y reconnaître[1]. La population quadruple, l'espace urbanisé augmente en importance, l'eau courante, l'électricité et le téléphone apparaissent dans la plupart des villes et des villages, l'automobile annonce la primauté du réseau routier et diminue le temps de transport, et les grands magasins à rayons et à spécialités favorisent l'essor de l'achalandage et de la consommation.

Ce développement est attribuable à l'émergence de la grande industrie, qui se ramifie et se disperse partout sur le territoire. Autant à Port-Alfred, Chicoutimi et Jonquière qu'à Isle-Maligne, Val-Jalbert ou Dolbeau, ses infrastructures modèlent le paysage. Inscrite dans le contexte de la poussée de la demande au niveau nord-américain et européen, l'évolution rapide du Saguenay—Lac-Saint-Jean traduit le grand bouleversement à l'intérieur des régions du Québec et repose sur les deux secteurs moteurs de l'économie que sont l'industrie des pâtes et papiers et celle de l'aluminium[2]. L'abondance des ressources naturelles et le bassin de main-d'oeuvre sont, avec le chemin de fer et la voie maritime du Saguenay, les principaux facteurs explicatifs de ce nouvel élan, de ce troisième souffle de l'économie régionale après l'étape des fourrures et du bois de sciage. Avec des effets d'entraînement sur l'agriculture, la petite et la moyenne entreprise, le secteur coopératif, le syndicalisme, les services et l'environnement, la grande industrie permet au Saguenay—Lac-Saint-Jean de passer du stade de la simple exportation des ressources à celui de la transformation[3]. Son insertion dans le circuit du commerce mondial n'est pas non plus négligeable puisque, grâce à ses travailleurs, la région arrive plusieurs fois en tête pour le volume de sa production dans ses sphères de spécialisation.

Cette performance qui atteste de son poids dans l'économie nationale est due largement à la perspicacité et au dynamisme de la classe entrepreneuriale qui émerge à Chicoutimi à la fin du XIXe siècle et au début du XXe siècle. À l'heure du néo-libéralisme, des changements technologiques et de la réduction dans les effectifs d'emploi du côté de Price et de l'Alcan aujourd'hui, la volonté d'affirmation économique de cette classe et les projets d'avenir qu'elle énonce alors pour le Saguenay—Lac-Saint-Jean sont riches de contenu et de signification. Ils font voir que, même si la région est éloignée des centres décisionnels et des marchés, c'est en tablant sur les ressources du milieu et par son ouverture à l'extérieur qu'a toujours été pensé et envisagé son développement.

Une nouvelle classe d'entrepreneurs

En 1890, après cinquante ans d'exploitation continue, Price qui possède plus de 7 770 kilomètres carrés de forêt et plus de 14 000 acres de terre à l'intérieur de l'oekoumène saguenéen[4], connaît d'importantes difficultés financières qui conduisent à la banqueroute et à la réorganisation de la compagnie en 1899. L'obligation d'aller chercher toujours plus loin la matière première en raison de sa rareté près des centres habités et l'augmentation du prix de revient poussent le sénateur Evan John Price, à la suite d'une tournée d'inspection de son neveu William en 1891, à fermer plusieurs chantiers dans le Bas-Saguenay et à ne garder en région, avec un personnel réduit, que les grandes scieries de Chicoutimi et de Grande-Baie[5]. En 1894, le sénateur tente même de vendre au prix de 225 000 $ son établissement de Chicoutimi à une entreprise américaine, mais sans succès[6]. Ses agents parviennent à liquider en revanche celui de la rivière du Moulin et la ferme de la Grande-Baie qui sont achetés, en 1895 et 1898, par l'abbé Thomas Roberge, curé de Saint-Alexis, ancien secrétaire de l'Évêché et activement associé à la vie économique du Haut-Saguenay[7].

C'est dans ce contexte de dégringolade momentanée de l'empire des Price, alors que le Lac-Saint-Jean est en plein essor grâce aux Scott, Ross et Beemer, qu'une nouvelle élite, formée majoritairement au séminaire de Chicoutimi, décide

Le sénateur Evan John Price, 1840-1899 - Son neveu William Price III, 1867-1924
Musée du Saguenay—Lac-Saint-Jean.

de prendre la relève et d'amorcer, à partir de Chicoutimi, le grand virage de la région vers la grande industrie. Profondément marqué par le mouvement patriotique issu du congrès de la Société Saint-Jean-Baptiste de Québec en 1880, le projet de développement qu'elle entretient pour le Saguenay—Lac-Saint-Jean est un projet de reconquête économique, à l'exemple de celui du curé Labelle. Il s'articule sur le potentiel naturel des forêts et des cours d'eau de la région et sur la capacité des Canadiens français d'entreprendre des affaires à l'échelle internationale au même titre que les Canadiens anglais ou les Américains[8].

Fortement structurées et nourries au fil des réunions de salon, ces idées de grandeur trouvent des échos à plusieurs reprises dans les journaux locaux. Des extraits du *Progrès du Saguenay* et de *L'Oiseau-Mouche* permettent d'ailleurs d'illustrer ces ambitions et ces prétentions.

Nous caressons un rêve d'avenir et ce rêve c'est que le Progrès vive assez longtemps pour voir Chicoutimi devenir une grande ville industrielle, un grand centre d'exportation, où les convois du lac Saint-Jean et de la baie James y apporteront les produits d'une foule de belles et florissantes paroisses où une population considérable vivra heureuse[9].

Chicoutimi attirerait ainsi à lui une partie du commerce des villes de New York, Boston, Montréal et Québec; il serait le centre du plus vaste commerce de bois, de pulpe et de papier du continent; il vendrait [par la construction du chemin de fer Trans-Canada] presque autant de blé que Winnipeg, plus de beurre et de fromage que Montréal, autant de fourrures que Nijni-Novgorod. Il deviendrait une ville énorme, éclipsant New York, et je vous laisse à penser s'il serait fier. Il envahirait tout l'espace occupé maintenant par les paroisses de Saint-Al-

phonse, Saint-Alexis et Notre-Dame de Laterrière, et son port s'étendrait sur un développement de dix lieues, à partir du fond de la baie des Ha! Ha!, qui serait remplie de steamers jusqu'aux Terres-Rompues, deux lieues au-dessus du Chicoutimi actuel[10].

Loin d'être coupées ou détachées de la réalité, ces idées chercheront à se matérialiser et à s'incarner dans le réel. En 1895, le journaliste Joseph-Dominique Guay, nanti d'une fortune de près de 100 000 $ accumulée par son père dans la vente de détail, le commerce des fourrures et du bois, accède à l'âge de 28 ans à la mairie de Chicoutimi. Intéressé, après l'établissement du chemin de fer et du téléphone, à mettre sa municipalité à l'heure des grandes villes, il fonde avec des membres de sa famille et quelques amis, dont le protonotaire François-Xavier Gosselin, le banquier Julien-Édouard-Alfred Dubuc de la Banque Nationale et l'abbé Victor-Alphonse Huard du Séminaire, une compagnie d'électricité puis d'aqueduc. Afin d'assurer l'alimentation de la turbine de leur centrale et la prise d'eau de l'aqueduc, la compagnie achète du gouvernement, au prix de 20 $, la seconde chute de la rivière Chicoutimi, située juste au-dessus de la grande scierie des Price de même que l'île placée au milieu de la rivière[11].

Célébrée en grande pompe, l'arrivée de l'électricité et de l'eau courante, si banale pour nous aujourd'hui, se présente alors comme un véritable événement[12]. Source d'emploi pour la classe ouvrière, l'électricité s'étend graduellement aux principales rues de la ville, aux maisons privées et aux édifices publics. La présence de nombreuses chutes d'eau dans les environs de Chicoutimi incite le maire et ses associés à pousser plus loin leur programme d'action et à redynamiser l'économie locale par la venue de plusieurs grandes industries[13].

Au début de 1896, en accord avec le conseil de ville, Guay élabore avec Gosselin et Dubuc un plan de promotion économique. Partant du potentiel moteur de la rivière Chicoutimi, ils songent à établir une manufacture de textile, un tramway à trolley entre Chicoutimi et Grande-Baie et une usine de pâte à papier[14]. Après une campagne publicitaire dans certains journaux du Québec sur les avantages de Chicoutimi pour la localisation d'industries, une tournée est entreprise à Montréal, Sault-Sainte-Marie et New York pour attirer d'éventuels investisseurs. Une correspondance est également engagée avec des ingénieurs et des industriels européens pour promouvoir cette implantation. À l'automne 1896, des hommes d'affaires de Windsor et de Sault-Sainte-Marie viennent visiter les cascades de la rivière Chicoutimi afin de mettre sur pied une usine de pâte à papier, mais en dépit de l'octroi d'avantages fiscaux et monétaires accordé par la municipalité, ceux-ci ne donnent pas suite à leurs projets[15].

Devant cette volte-face de la part des investisseurs et convaincu que l'industrie de pâte à papier était destinée «à révolutionner la province» en raison de la demande sans cesse croissante en Europe et aux États-Unis pour la fabrication du papier journal, Guay convient de porter un grand coup. Le six décembre 1896, il réunit à son bureau du *Progrès du Saguenay*, Dubuc, Gosselin et d'autres actionnaires de la compagnie électrique. À partir d'un capital-actions de 50 000 $, d'un prêt hypothécaire consenti par la Banque Nationale[16] et d'un contrat d'approvisionnement avec un papetier anglais, ils décident de créer une compagnie de pâte à papier. Première entreprise du genre fondée au Canada par des Québécois, la Compagnie de pulpe de Chicoutimi implante son usine sur «l'île électrique» et les terrains avoisinants achetés par personnes interposées des mains d'un des agents de Price[17]. Le fort pouvoir moteur de la rivière, évalué à cet endroit à 10 000 chevaux-vapeur, soit une possibilité de 100 tonnes de pâte par jour, la proximité des réserves forestières tant en amont qu'en aval et les facilités d'expédition, par le Saguenay et par le chemin de fer, faisaient de l'emplacement un lieu idéal pour l'établissement d'une usine de pâte à papier.

La pulperie de Chicoutimi

C'est au cours de l'hiver 1897 que s'amorcent les travaux de construction du moulin[18]. Estimés à 125 000 $ et confiés à l'ingénieur allemand Alex Wendler et à l'architecte C. E. Eaton de Québec, les travaux d'érection du barrage, de la conduite forcée et de la voie d'évitement pour le chemin de fer et de l'usine sont complétés en moins d'un an. Attirant une foule de curieux et de visiteurs, le moulin devient opérationnel au printemps 1898 et permet d'embaucher 75 travailleurs répartis en quarts de nuit et de jour, en plus des 450 hommes de chantiers à chaque hiver. Capable de produire quotidiennement quelque 35 tonnes de pâte, l'usine n'est pas aussitôt achevée que la compagnie, par le biais de Dubuc, son premier directeur gérant, obtient de nouveaux contrats en provenance de l'Angleterre et des États-Unis. Pour faire face à ces obligations, elle augmente son capital-actions à 250 000 $ et procède à des agrandissements. C'est ainsi que des personnages influents de la ville de Québec associés au gouvernement libéral provincial, les Némèse Garneau, Joseph-Alphonse Couture, Gaspard Lemoine et V.-W. Larue se joignent au conseil d'administration de la compagnie. Terminés à l'automne 1899, les travaux d'expansion permettent d'engager au total 130 ouvriers dans le moulin et d'atteindre à la fin de 1900 une production de 11 820 tonnes, soit deux fois plus que lors de la première année d'opération.

La croissance de la compagnie ne s'arrête cependant pas là. Après avoir signé un contrat de dix ans avec la Edward Lloyd Paper Mill de Londres et après avoir mérité à l'Exposition universelle de Paris, en 1900, une médaille d'or pour la qualité de sa production, les dirigeants de l'entreprise aménagent un second moulin à quelque 800 pieds à l'est au-dessus du premier. Deux fois plus considérable en superficie et en capacité de production, le moulin est élevé au coût de 1,5 million par les ingénieurs Wallace C. Johnson et Johan Winsness, et par l'architecte René-P. Lemay. Considéré lors

Les principaux directeurs de la Compagnie de pulpe de Chicoutimi,
ANQ, Collection initiale.

de sa mise en opération en 1903 comme le plus grand moulin de pâte mécanique jamais construit en Amérique, il procure de l'emploi à 225 travailleurs et contribue à faire grimper la production de la compagnie à quelque 30 000 tonnes de pâte annuellement.

Entre 1904 et 1909, dans le but de rentabiliser davantage les opérations de l'entreprise et de la rendre encore plus compétitive sur les marchés, Dubuc, en accord avec le conseil d'administration, met sur pied une dizaine de compagnies subsidiaires dont la Compagnie générale du port de Chicoutimi. Constituée en 1904 avec le concours d'armateurs de Liverpool et de la Becker and Co. de Londres, l'agence de commercialisation des produits de Chicoutimi en Europe, la Compagnie du port est chargée de l'expédition de la pâte. Le règlement du litige avec Price autour de la propriété des lots de grève au bassin de la rivière Chicoutimi facilite cette création. Il permet désormais à la Compagnie de pulpe, par l'intermédiaire de sa société filiale, de faire draguer le chenal du Saguenay, d'outiller le port de mer de Chicoutimi et de faire pression auprès du gouvernement fédéral afin de reconnaître l'importance du trafic maritime de la région, en la détachant de la zone de pilotage du Saint-Laurent et en constituant Chicoutimi comme le port de mer du Saguenay.

Bien que le gouvernement Laurier réponde positivement à la requête de la compagnie, les constants problèmes de dragage et le refus de la Lloyd d'assurer les bateaux plus haut que les battures de Saint-Fulgence contribueront, dans les faits, à rendre difficile le chargement de la pâte à partir de Chicoutimi, sauf pour les goélettes. C'est ainsi que Saint-Fulgence devient en 1906 le principal lieu d'expédition de la Compagnie générale du port. Une trentaine de navires battant surtout pavillon anglais s'y arrêtent chaque année en remontant le Saguenay pour prendre leur cargaison de pâte. Le norvégien Olof Ellefsen dirige les opérations. Ce sont les activités autour de la «pulpe» qui expliquent sa venue dans la région, comme celle de quelques compatriotes. Parlant plusieurs langues, il est à même de transiger avec les capitaines de bateaux et de s'entretenir avec les matelots.

Le coût élevé de transport entre la pulperie et Saint-Fulgence est à l'origine, en 1908, de la création de la Compagnie du chemin de fer de la baie des Ha! Ha! Commencée à l'automne 1909, la construction de la voie ferrée d'une longueur de 30 kilomètres part de la pulperie, traverse la savane entre Chicoutimi et Bagotville, longe la rivière à Mars et aboutit au quai de Saint-Alphonse. Acheté en 1912 par la Compagnie Roberval-Saguenay, autre société filiale de la Compagnie de pulpe de Chicoutimi, le réseau ferroviaire est inauguré en 1915 avec son embranchement vers Laterrière.

L'avènement du chemin de fer jusqu'au quai de Bagotville entraîne la fin de l'expédition par les battures de Saint-Fulgence et s'explique par la croissance de la production de la Compagnie de pulpe de Chicoutimi. Non seulement en 1915 la compagnie est la première au Canada dans sa sphère de spécialisation, mais elle continue d'accroître son marché. À ses clients anglais, la Edward Lloyd et la Becker and Co. et français, les Établissements Darblay et la Papeterie de la Seine, viennent s'ajouter à la faveur du libre-échange canado-américain dans le domaine des pâtes et papiers, la Tide Water Paper Mill Company, propriété du *New York Times*.

Doté d'un capital-actions de 30 millions, ce consortium, formé par la Compagnie de pulpe de Chicoutimi et par sa nouvelle filiale de Val-Jalbert, par la St. Lawrence Pulp and Lumber Corporation à Chandler en Gaspésie et par la Tide Water Paper Mill, s'avère la plus importante organisation de pâtes et papiers en Amérique. Présidée par Dubuc, la North American permet à la Compagnie de pulpe de Chicoutimi de se procurer de nouvelles sources de financement pour son fonctionnement et ses immobilisations et lui assure un débouché pour près du quart de sa production. Les moyens publicitaires les plus récents, comme le tournage d'un film sur le processus de fabrication du papier journal depuis les usines de Chicoutimi, de Val-Jalbert, de Chandler et de Tide Water, seront alors utilisés pour la vente des actions de la North American dans le réseau des milieux financiers de New York, Boston, Cleveland, Pittsburgh et Philadelphie. C'est à cette époque d'ailleurs, au moment où il projette avec la Becker and Co. la construction d'un moulin de pâte chimique à Port-Alfred pour répondre aux besoins de la Première Guerre mondiale, qu'en reconnaissance pour son travail accompli Dubuc reçoit, au cours d'un banquet, son fameux titre de «roi de la pulpe».

En 1919, la conjoncture d'après-guerre appelle un examen de la structure organisationnelle de la Compagnie de pulpe de Chicoutimi. La reprise de la concurrence en provenance des pays scandinaves et l'autosuffisance du marché américain amènent Dubuc à chercher de nouvelles sources de financement. En collaboration avec deux banques canadiennes-françaises, la Compagnie de pulpe et de pouvoirs d'eau du Saguenay est formée en remplacement de la North American Pulp and Paper Company. Dirigé par le sénateur et millionnaire montréalais Frédéric-L. Béique, le holding lance sur le marché des obligations une émission de plus de 5 millions. Reçues favorablement dans les milieux financiers québécois, elles servent à consolider les actifs des diverses compagnies auxquelles le nom de Dubuc est associé, à créer un fond de roulement et à bâtir sur le terrain de la pulperie de Chicoutimi un nouvel atelier de réparation et une quatrième usine, après celle de 1912, dans la partie avant du second moulin.

Tous ces projets d'agrandissement et de modernisation, qui se justifient par la cote sans cesse à la hausse du prix de la pâte, qui passe entre 1915 et 1919 de 17,50 $ à 32,50 $ la tonne, ne tardent pas à se répercuter sur l'amélioration du volume de production. Avec un effectif de près de 1 000 ouvriers dans ses moulins et presque autant dans les chantiers à chaque hiver, une production de plus de 110 000 tonnes avec son usine de Val-Jalbert et des profits de près de deux millions, la Compagnie de pulpe de Chicoutimi devient, en 1920, le plus grand fabricant de pâte mécanique au monde.

Bien que les dirigeants de la compagnie encouragent le savoir-faire ouvrier par des concours et qu'on assiste à la formation en 1907, avec l'abbé Eugène Lapointe, du premier syndicat catholique en Amérique du Nord, la Fédération ouvrière mutuelle du Nord, les conditions de travail à l'intérieur des usines seront cependant loin d'être faciles[19]. Outre l'humidité, les problèmes de bruit, les risques d'accident dans certains secteurs comme à la scierie, aux écorceurs, à l'atelier ou à la fonderie, l'obligation de suivre la cadence croissante de la production et le travail de nuit poussent les dirigeants du syndicat à faire adopter entre autres par Dubuc, l'horaire des trois quarts de travail. Symptomatique d'un changement dans les préoccupations des membres du syndicat, cet esprit de revendication se fait sentir également du côté salarial. Même si la Compagnie de pulpe est, avec l'écorceur de la Battle Island établi à l'anse à Benjamin en face de Bagotville, la première au Saguenay—Lac-Saint-Jean à offrir un salaire de 1,25 $ par jour à ses ouvriers, les nombreux retards dans le versement des payes et les écarts importants par rapport à la moyenne provinciale rendent compte de la fragilité de leurs conditions et de leurs positions sociales. Dépendant largement du crédit marchand pour l'épicerie et les vêtements, le travailleur de la pulperie ne sera aucunement en mesure avec ses 400 $ annuels de rivaliser avec la classe des professionnels dont les revenus sont alors estimés à 5 000 $. Une démarcation en découlera et se reflètera à plusieurs niveaux, en particulier au plan résidentiel.

La rue Racine à Chicoutimi, Collection Y. Gauthier.

Si l'entreprise de Dubuc a permis à Chicoutimi, en quintuplant sa population en près de trente ans, de doubler son espace urbanisé, la pulperie contribuera à accroître également le clivage existant entre les quartiers ouest et est de la ville. Tandis que l'ouest sera associé aux ouvriers comme en témoigne encore aujourd'hui l'habitat architectural, l'est sera celui des professions libérales, des hommes d'affaires et de la nouvelle classe liée au développement de la grande industrie, celle des architectes, des ingénieurs et des surintendants, issue majoritairement de l'extérieur de la région. Jouant une part active dans la vie politique, économique et culturelle, cette élite façonnera, avec ses magasins à rayons, ses banques et sa caisse populaire, ses bureaux d'avocats et de notaires et ses maisons cossues, le paysage de la ville et fera de Chicoutimi, avant 1931, le seul centre vraiment urbain au Saguenay—Lac-Saint-Jean[20].

Véritable locomotive de la région et exerçant son influence par ses sociétés filiales et par ses concessions forestières autant à Port-Alfred, Laterrière, Sainte-Anne qu'à Val-Jalbert, Roberval ou Péribonka, la Compagnie de pulpe de Chicoutimi inspirera d'autres entrepreneurs à se lancer dans ce type d'industrie. En plus de favoriser la colonisation, ces derniers contribueront avec Chicoutimi à faire du Saguenay—Lac-Saint-Jean l'une des deux plus importantes régions papetières du Québec.

De nouveaux noyaux industriels

C'est à Jonquière que le processus est inauguré. En 1899, Joseph Perron, un ancien contremaître de la pulperie de Chicoutimi, fonde avec l'aide de cultivateurs locaux un capital-actions de 50 000 $, la Compagnie de pulpe de Jonquière[21]. Profitant du pouvoir moteur de la rivière aux Sables et de la présence du chemin de fer, ils construisent un moulin d'une capacité quotidienne de 25 tonnes. Une centaine de travailleurs y trouvent un emploi[22]. Devant l'esprit d'entreprise manifesté par la classe agricole dans la réalisation de ce projet, le rédacteur de L'Oiseau-Mouche, le journal du Séminaire, écrit:

> Qu'on vienne brailler maintenant que le cultivateur canadien est routinier et en arrière de son siècle. En trouvez-vous beaucoup d'habitants dans les autres provinces qui, sans capital, n'ayant que la ferme qui fournit chaque année le pain de leurs familles, se lanceront dans une telle entreprise? Si l'on voulait faire le bilan des Canadiens-français, comparer ce qu'ils étaient à ce qu'ils sont, ce qu'ils avaient à ce qu'ils ont, je crois que le dividende de leur progrès, à tous les points de vue, ferait pâlir celui de n'importe quelle nationalité[23].

Le sept décembre 1901, après avoir réorganisé par la formation d'une compagnie à capital-actions de 2 millions l'entreprise des Price et faute de pouvoir s'entendre avec la Compagnie de pulpe de Chicoutimi pour la construction d'un moulin à papier dans les limites de la ville, William

La pulperie de Jonquière, Collection Y. Gauthier.

Price, le troisième du nom, acquiert 600 actions de la Compagnie de pulpe de Jonquière[24]. Devenu par le fait même le principal propriétaire de la compagnie et possédant de nombreuses réserves forestières, Price procède à des améliorations. En 1903, une machine à carton est ajoutée à l'usine et, en 1909, une machine à papier Fourdrinier. D'une capacité de 25 tonnes pour le carton et d'une vingtaine de tonnes par jour pour le papier, le moulin fournit de l'emploi à 250 hommes qui sont dirigés par des anglophones, contrairement à ceux de Chicoutimi[25].

L'industrie des pâtes et papiers permet à Jonquière, jusque-là accrochée à l'agriculture, de quadrupler sa population en l'espace de dix ans, passant de 500 habitants au début du siècle à 2 000 en 1910[26]. Cette croissance démographique justifie le passage de son incorporation de municipalité de village en 1904 en celle de municipalité de ville en 1912. C'est surtout les secteurs nord-ouest et sud-est qui se développent durant cette période. Des agents immobiliers s'adonnent partout en région et en province à la promotion foncière de la ville[27]. Les établissements de services sont en même temps de plus en plus présents le long de l'artère principale, la rue Saint-Dominique. C'est ainsi que le nombre des commerces passe de six à douze entre 1900 et 1905. En 1910, l'Hôtel Commercial et une première banque sont érigés. En 1911 et en 1912, alors que le réseau d'aqueduc inauguré en 1907 s'étend à la grandeur de la ville et que la municipalité songe à acheter de la Price Brothers au coût de 100 000 $ sa centrale hydro-électrique, une salle publique et une nouvelle église sont construites pour faire face aux besoins grandissants· de la population qui se chiffre alors à plus de 3 500 habitants[28]. Édifiée au coût de 143 000 $ et conçue selon les plans et devis de l'architecte René-P. Lemay de Québec, bâtisseur de la pulperie de Chicoutimi, l'église Saint-Dominique de Jonquière sera élevée en périphérie des nouveaux axes de développement en raison d'un mouvement de pression en provenance des aînés[29].

La rue Saint-Dominique à Jonquière, ASC.

Après Chicoutimi et Jonquière, Péribonka devient le troisième endroit à voir s'établir une usine de pâte à papier. Fondée par un groupe d'hommes d'affaires de Roberval sous la direction de Thomas du Tremblay et par le collègue de Némèse Garneau, le secrétaire provincial André Robitaille, la Compagnie de pulpe de Péribonka est incorporée en octobre 1900 avec un capital-actions de 30 000 $[30]. Le pouvoir hydraulique de la Petite rivière Péribonca permet d'actionner les neuf turbines et les réserves forestières de l'arrière-pays alimentent les quatre défibreurs. Expédiée en une journée à Roberval sur des chalands tirés par un bateau, la pâte est acheminée en bonne partie en Europe par l'intermédiaire de la Compagnie générale du port de Chicoutimi[31].

L'établissement est à l'origine de la formation d'une petite colonie qui atteint une centaine de personnes en 1902. Outre des Québécois qui, comme Henri Morin, proviennent de l'extérieur de la région et qui se déplacent de moulin en moulin selon l'évolution de la demande du marché, une douzaine d'Européens venus sous l'instigation de la Société de colonisation et de rapatriement du Lac-Saint-Jean travaillent à la pulperie. Les salaires sont d'environ 1,00 $ par jour, soit 0,25 $ de moins que ceux de Chicoutimi[32].

Incendiée en 1907, reconstruite et réorganisée l'année suivante sous le nom de la Compagnie de pulpe Dalmas, la pulperie de Péribonka atteint vers 1910 une production annuelle de 4 500 tonnes. En 1913, la compagnie doit cependant déclarer faillite. Quatre ans plus tard, une compagnie américaine exploite l'usine qui passera, en 1919, dans les mains du groupe de Dubuc[33].

L'usine de Péribonka ne sera pas la seule à être mêlée aux affaires du directeur gérant de la Compagnie de pulpe de Chicoutimi. La pulperie de Val-Jalbert en est un autre exemple. Propriétaire d'une fromagerie à Saint-Jérôme, d'une scierie et d'un magasin général à Lac-Bouchette, Damase Jalbert, ancien navigateur au long cours originaire de Montmagny, se présente comme son principal promoteur. L'industrie du jour étant à la «pulpe» et bien qu'il doive abandonner un projet similaire à Lac-Bouchette en décembre 1896, il fonde en mars 1901, avec le concours de près d'une centaine d'actionnaires de la ville de Québec et de la région, la Compagnie de pulpe de Ouiatchouan[34].

Dotée d'un capital de 150 000 $, la compagnie localise son usine au pied de la grande chute de la rivière Ouiatchouane. L'important débit de la rivière, la présence de réserves forestières en amont autour du lac des Commissaires et les possibilités d'ériger sur la plaine un village industriel concourent à faciliter la réalisation du projet. L'usine est inaugurée en 1902 par l'évêque du diocèse Mgr Michel-Thomas Labrecque. En 1904, à la suite du décès de son fondateur, elle devient la propriété de la Ouiatchouan Falls Paper Company. L'injection de capitaux américains lui permet de doubler sa capacité de production. La pâte produite est acheminée sur le marché de New York par l'intermédiaire de la Compagnie du chemin de fer Québec—Lac-Saint-Jean et en Europe par la Compagnie générale du port de Chicoutimi. En 1909, des difficultés financières amènent Dubuc, qui depuis 1907 est impliqué dans l'administration de la Ouiatchouan Falls Paper, à se porter acquéreur des actifs au nom de la Compagnie de pulpe de Chicoutimi[35].

Après un programme d'agrandissement et de modernisation, la production du moulin grimpe de 60 à 90 tonnes par jour. Le développement de Val-Jalbert est intégré au réseau des sociétés filiales de la Compagnie de pulpe de Chicoutimi. Non seulement les cadres du moulin proviendront de Chicoutimi, mais c'est également à partir de là que le plan d'aménagement des six rues du «village d'en haut et d'en bas» sera pensé avant d'être réalisé par des sociétés filiales de la maison mère[36]. Il en est ainsi pour le réseau d'aqueduc et d'électricité de même que pour la construction des 80 maisons ouvrières qui seront louées entre 8 $ et 14 $ par mois aux travailleurs. Membres de la Fédération ouvrière mutuelle du Nord comme ceux de Chicoutimi, les employés de Val-Jalbert, au nombre de 300 vers 1917, permettront à la Compagnie de pulpe de Chicoutimi de produire le quart de sa production totale[37].

Au moment même où Damase Jalbert lance son entreprise, une autre usine de pâtes et papiers voit le jour à Saint-André-de-l'Épouvante, à quelques kilomètres à l'est de Val-Jalbert, grâce à l'initiative de 75 actionnaires de Québec et des paroisses environnantes, dont celles des comtés de l'Islet et de Kamouraska. Formée sous le nom de la Compagnie de pulpe de Métabetchouan avec un capital-actions de 150 000 $, l'entreprise se révèle vite un désastre financier en raison des pertes encourues par l'incendie du moulin et des obligations contractées par les actionnaires. En 1907, pour éviter la liquidation, la compagnie convient de céder son actif à un syndicat financier[38].

Malgré les déboires de la Compagnie de pulpe de Métabetchouan, l'essor de la demande justifie l'établissement de nouvelles usines de pâtes et papiers dans la région. En 1909, parallèlement à l'installation d'une machine à papier à Jonquière, William Price III achète les propriétés de cinq cultivateurs dans le canton Kénogami. S'appuyant sur les 14 000 chevaux-vapeur de la chute à Bezi sur la rivière aux Sables, il érige une papeterie et un nouveau village industriel. Dès 1911, les ouvriers travaillent à la construction du barrage, du moulin et de la voie de raccordement du chemin de fer. La papeterie, qui a exigé des investissements de plus de six millions, a une capacité de 150 tonnes par jour et emploie 800 hommes[39]. En 1917, à la faveur de la Première Guerre mondiale, deux autres machines sont ajoutées afin d'atteindre une production de 275 tonnes par jour. En 1928, après les agrandissements de 1920 et de 1924, l'usine avec ses sept machines à papier atteint les 500 tonnes, ce qui en fait l'une des plus grandes au monde[40].

À l'instar de la Compagnie de pulpe de Chicoutimi pour le village de Val-Jalbert et pour la municipalité de Port-Alfred en 1916, la Price Brothers verra par l'entremise de l'une de ses filiales, la Kenogami Land, à planifier l'aménagement et le développement spatial de Kénogami[41]. Son intervention se situera tant dans le plan des rues que dans l'érection des maisons et dans l'implantation des services publics tels que l'électricité et l'eau courante. Le rythme de la construction domiciliaire ira d'ailleurs de pair avec la transformation du moulin. Entre 1912 et 1922, le nombre des maisons passera de 40 à plus de 300, dont 146 appartenant directement à la compagnie. C'est dans ces dernières, localisées surtout dans le «quartier des Anglais» au sud-ouest de l'avenue King George, que seront logés les 175 familles anglophones et les officiers supérieurs alors que leurs subalternes, les travailleurs canadiens-français et acadiens, habiteront plus au nord sur les rues Lapointe, Bergeron, Cabot et Champlain.

Même si le rôle de la compagnie qui allait jusqu'à la désignation des candidats à la mairie et à l'échevinage s'estompe à partir de la décennie 1920 avec l'incorporation de la ville qui compte déjà 3 000 habitants, son influence demeurera toujours grande. Principal propriétaire foncier et unique employeur, la compagnie poursuivra certains chantiers de construction sur ses propriétés comme le Club Price, le «curling Club» et le «Staff House» qui contribueront à faire de Kénogami l'une des agglomérations les plus modernes de la région et du Québec[42].

Pour compléter le portrait de l'industrie des pâtes et papiers dans la région, à l'orée de la grande crise papetière de 1924, mentionnons le moulin de Port-Alfred, érigé entre 1916 et 1918 et propriété de la Ha! Ha! Bay Sulphite, société filiale de la Compagnie de pulpe de Chicoutimi, et celui de la St. Raymond Paper à Desbiens, en 1922, qui alimentera le *Montreal Star*[43]. Témoignant du dynamisme, de la force d'attraction et du caractère profondément industriel du Saguenay—Lac-Saint-Jean, l'émergence et le développement de ces entreprises inscriront non seulement la région dans le circuit du grand commerce mondial, mais modèleront son paysage en plus d'influencer le progrès de son agriculture. Si l'essor de cette industrie sera à l'origine du premier grand barrage élevé au Saguenay, celui du réservoir du lac Kénogami, il amènera aussi ses deux leaders à s'affronter et à s'amalgamer.

Une lutte entre deux grands

En 1920, lorsque la Compagnie de pulpe de Chicoutimi devient le plus grand fabricant de pâte mécanique au monde, le vieux rêve de Dubuc de montrer que les Canadiens français étaient aptes à mener des affaires à une échelle internationale est enfin réalisé. La croissance vertigineuse de la compagnie qu'il dirige en est certes la plus belle preuve, mais les engagements contractés par ses sociétés filiales et par elle-même pour assurer son fonctionnement en font une entreprise fragile[44]. La contraction du marché au lendemain de la Première Guerre mondiale et la faillite de son principal client, la Becker and Co. de Londres, en 1923, engagé avec elle dans le moulin de la Ha! Ha! Bay Sulphite à Port-Alfred, provoquent un manque à gagner de 2,5 millions. Incapable de rencontrer ses obligations, la compagnie se voit acculée à la banqueroute en mars 1924 par le Royal Trust, à la suite d'un jugement de la Cour supérieure de Montréal[45].

Même si les moulins de Chicoutimi, de Val-Jalbert et de Port-Alfred continuent à produire et même si les mises à pied des travailleurs ne viennent que plus tard, la déclaration de faillite de la Compagnie de pulpe de Chicoutimi sera vécue, dans les milieux proches de Dubuc, comme une sorte de drame ou de défaite nationale. Une lettre de Mgr Eugène Lapointe adressée le dix-neuf mars 1924 à Tancrède Bienvenu, vice-président et directeur général de la Banque Provinciale du Canada, permet d'en saisir les éléments et de mesurer les véritables enjeux de la lutte entreprise par Dubuc:

Mgr Eugène Lapointe, 1860-1947, Fonds ANQ-C., Fonds SHS.

Séminaire de Chicoutimi, 19 mars 1924

Cher Monsieur,

De passage à Montréal dimanche dernier, j'ai pensé à solliciter l'honneur de vous voir, mais je n'ai pu vous rejoindre. Il m'aurait été agréable - et peut-être de quelqu'utilité - de vous entretenir du projet de réorganisation de la Compagnie de Pulpe de Chicoutimi, auquel, me dit-on, vous prenez quelqu'intérêt. [...]

Je laisse de côté le point de vue financier, que vous pouvez apprécier mieux que moi. Je me contente d'observer, qu'à mon estime, s'il s'agissait d'une affaire anglaise, mes compatriotes anglo-canadiens auraient trouvé déjà une solution, et avec moins de bruit; que si M. Dubuc était anglais, ses compatriotes auraient trouvé moyen de le tirer d'embarras et n'auraient pas songé à livrer à n'importe quel prix une propriété de cette valeur à des Canadiens français.

La région du Saguenay et du Lac-Saint-Jean est une petite province. Avec ses immenses ressources naturelles: riche terre arable, forêts, pouvoirs hydrauliques, sa population qui est de 100 000 âmes, pourrait doubler en 10 ou 15 ans.

Or, la Cie de Pulpe, par sa situation stratégique, tient la clef de cette région. Ce fut le coup de maître de Dubuc de s'emparer de cette clef. Il a vu de haut et de loin. On peut penser qu'il a beaucoup embrassé, trop pour ses moyens. Mais c'est fait. Il ne tient qu'à nous maintenant de garder à la race - et vous savez ce qu'il faut - cette incomparable propriété. La laissera-t-on aller? Laissera-t-on tomber en des mains étrangères le fruit du travail de trente ans de l'un des nôtres, qui, somme toute, nous fait le plus d'honneur? Dans la grande industrie de la pulpe, c'est à peu près tout ce que nous avons de vraiment important. [...]

C'est toute l'histoire du Saguenay qu'il faudrait rappeler ici. Il serait facile d'établir que notre assujettissement économique au Saguenay a retardé d'au moins trente ans notre développement normal. Or, Dubuc a induit les nôtres à prendre conscience d'eux-mêmes, il a mis de la fierté là où il n'y avait que de la résignation servile, il a appris aux nôtres à compter sur eux-mêmes; son exemple a été générateur d'énergies, a suscité des initiatives, un immense progrès s'en est suivi. On peut affirmer que le développement prodigieux du Saguenay dans les derniers 25 ans lui est surtout dû. Comment ne voit-on pas cela? Et si on le voit, comment ne lui tient-on pas compte?

Autre aspect de la question.

L'Ottawa, le St-Maurice, sont aux Anglais et aux Américains. Vous savez ce que va devenir avant longtemps le St-Maurice. Il reste le Saguenay. C'est la seule réserve forestière vraiment importante de la Province. Si on tient compte de ses sources inépuisables d'énergie électrique et de son port océanique, le Saguenay (Chicoutimi et ses environs) est appelé à devenir l'un des centres industriels les plus importants de la province de Québec, c'est incontestable.

Pourquoi alors abandonnerions-nous si légèrement tout cela à des Anglais?

N'est-il pas temps, cher Monsieur, que dans les affaires, dans la finance, on tienne un certain compte de ce que nous sommes et de ce que nous devons être?

On nous crie: encouragez les banques canadiennes-françaises, encouragez nos marchands et nos fabricants canadiens-français. Mais que veut-on que nous disions aux clients de la Banque Molson et de Eaton, qui verraient la Cie de Pulpe vendue par des banquiers canadiens-français à des Anglo-canadiens?

En outre, imaginez ce qui arriverait si tout le Saguenay industriel tombait aux mains d'une seule compagnie, et une compagnie anglo-canadienne ou américaine. C'est cependant de quoi nous sommes menacés. À ce compte notre servitude économique n'aurait plus de terme.

À franchement parler, il me paraît incroyable qu'il ne se trouve pas à Montréal un groupe de Canadiens français qui s'emparent de cette propriété au crédit et au profit de la race.

C'est ma conviction qu'un tel groupe en ferait un immense succès. Et nous aurions enfin au moins un pied dans la grande industrie de cette province. [...] Agréez, cher Monsieur, l'expression de mes sentiments bien dévoués.

Eugène Lapointe
Protonotaire apostolique
Vicaire général du diocèse de Chicoutimi[46]

Malgré les efforts de Mgr Lapointe et de Dubuc pour récupérer les actifs de la Compagnie de pulpe de Chicoutimi, le comité des créanciers amorce à compter de 1925 son processus de liquidation, scellant ainsi à tout jamais le sort du berceau de l'entreprenariat québécois dans le domaine des pâtes à papier. Présidé par Albert Stewart McNichols, ancien directeur général de la maison de courtage L.-G. Beaubien de Montréal, le comité cède d'abord à Price Brothers les concessions forestières de la rivière Shipshaw, puis aux liquidateurs de la Ha! Ha! Bay Sulphite celles de la rivière à Mars, de même qu'un droit de coupe d'une durée de vingt ans dans le secteur de la Péribonca. En mars 1926, le comité poursuit son opération par la vente du quai de Port-Alfred et du chemin de fer Roberval—Saguenay à la Compagnie Aluminium du Canada qui réalise alors un vaste complexe usinier à Arvida, à moins de huit kilomètres à l'ouest de Chicoutimi. Le treize août 1927, devant les difficultés d'écouler sa production, le moulin de Val-Jalbert est fermé suivi, cinq mois plus tard, d'une partie des usines de Chicoutimi, entraînant ainsi le licenciement de 800 travailleurs[47].

En novembre 1927, la Price Brothers et la Port-Alfred Pulp and Paper, reliées toutes deux à la Canada Power and Paper que préside le magnat de la finance et propriétaire de la Montreal Light Heat and Power à Shawinigan, sir Herbert Holt, se portent officiellement acquéreurs, par la formation de la Quebec Pulp and Paper Corporation, des actifs de

Chicoutimi, de Val-Jalbert et de ceux de Port-Alfred, pour une somme de 10 millions. Alors que la Port-Alfred Pulp and Paper continuera à faire fonctionner le moulin de pâte chimique fondé par Dubuc et qu'elle procédera en 1926 à l'installation d'une machine à papier, Price conviendra pour sa part en 1930 de fermer définitivement la pulperie de Chicoutimi. En dépit de la présentation de plusieurs projets de réouverture, Price, qui considérait la Compagnie de pulpe de Chicoutimi comme un concurrent et qui avait entretenu avec elle au cours des ans une vingtaine de procès, certains allant jusqu'au Conseil Privé de Londres, maintiendra sa position[48].

Connue autrefois en Europe et aux États-Unis pour être la «ville de la pulpe», Chicoutimi s'appuiera désormais sur son commerce et sur ses institutions pour assurer son développement. Cette spécialisation dans les services lui permet d'échapper au sort de Val-Jalbert. Les grands travaux d'aménagements hydro-électriques et industriels autour de la Grande Décharge, de la Chute-à-Caron, de Shipshaw et d'Arvida seront pour Chicoutimi l'occasion de confirmer cette vocation. Ils permettront au Saguenay—Lac-Saint-Jean de diversifier et de consolider sa structure industrielle par l'afflux de nouveaux capitaux ainsi qu'à forger les principaux traits de sa physionomie actuelle.

L'ère des grands barrages

Avec le développement de l'électro-métallurgie à compter de 1923-1925, la région entre dans une période nouvelle[49]. Non seulement la forêt et ses dérivés ne sont plus les seuls à constituer à côté de l'agriculture les leviers de commande de son économie, mais la population passe entre 1921 et 1961 de 73 000 à 262 000 habitants. Cette augmentation est explicable par l'apport et la modernisation de la grande industrie, de même que par la poussée du secteur des services. Elle se manifeste surtout dans le Haut-Saguenay qui s'accapare l'essentiel des nouveaux investissements.

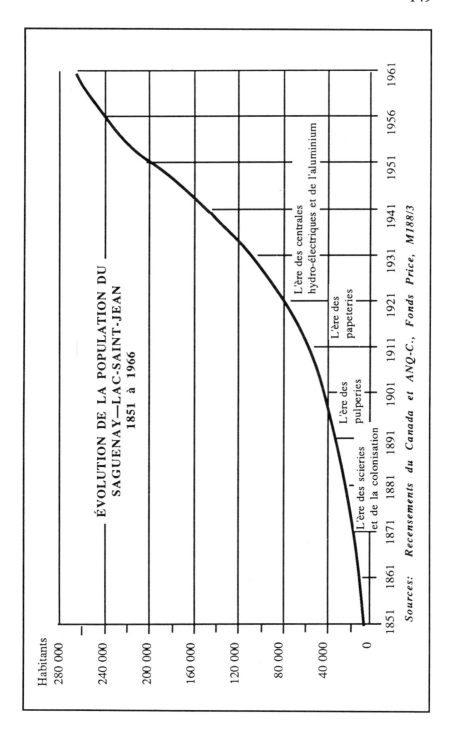

**ÉVOLUTION DE LA POPULATION DU
SAGUENAY—LAC-SAINT-JEAN
1851 à 1966**

L'ère des scieries
et de la colonisation

L'ère des
pulperies

L'ère des
papeteries

L'ère des centrales
hydro-électriques et de l'aluminium

Habitants

280 000
240 000
200 000
160 000
120 000
80 000
40 000
0

1851 1861 1871 1881 1891 1901 1911 1921 1931 1941 1951 1956 1961

Sources: Recensements du Canada et ANQ-C., Fonds Price, M188/3

Cet élan de l'économie fondée sur la mise en valeur du potentiel hydro-électrique n'est cependant pas spécifique au Saguenay—Lac-Saint-Jean. Ailleurs au Québec, en Mauricie en particulier avec la Shawinigan Water and Power Company, le même phénomène se produit[50]. Le gouvernement libéral de Louis-Alexandre Taschereau en fera du reste le fondement de sa politique économique et industrielle à l'instar du gouvernement de Robert Bourassa, «l'énergie du nord» étant alors principalement assimilée à celle du Saguenay—Lac-Saint-Jean. Convaincu que la construction de centrales hydro-électriques amènerait la prospérité au Québec, renflouerait les coffres de l'État et agirait comme bougie d'allumage au développement des régions, Taschereau élabore et propose à l'électorat en 1923 une politique favorable aux investissements étrangers. Largement basée sur les dégrèvements d'impôts et sur l'affermage à long terme et à coût réduit d'importantes portions du domaine public riches en ressources énergétiques, minières et forestières, cette politique fait l'objet d'une vive critique de la part de l'opposition et de l'intelligentsia nationaliste qui accusent le gouvernement de livrer le Québec aux Américains[51].

C'est dans ce contexte que s'inscrit le développement des grands barrages hydro-électriques du Saguenay—Lac-Saint-Jean. Le secteur des pâtes et papiers en est le principal instigateur. Vers 1922, les forces hydro-électriques aménagées dans la région totalisent environ 117 000 chevaux-vapeur dont 72 000 utilisés par Price Brothers pour le fonctionnement de ses usines de Jonquière et de Kénogami[52]. Mais pour le premier fabricant de papier journal au Canada, ces 62% s'avèrent insuffisants non seulement pour l'expansion de l'entreprise mais pour assurer une production continue, douze mois par année. Si au temps de l'industrie forestière l'irrégularité dans le régime des eaux ne dérangeait pas, la scierie étant inopérante durant l'hiver et les hommes s'affairant au travail des chantiers, il n'en est pas de même du côté de la grande industrie. Par ses importantes pertes de revenus, elle imposait un correctif d'ordre technologique et la recherche de nouvelles sources d'énergie devenait nécessaire pour faire face aux exigences du marché et contrer le mouvement de la concurrence.

En 1923, la construction des barrages du Portage-des-Roches sur la rivière Chicoutimi et de Pibrac sur la rivière aux Sables veut corriger cette situation[53]. En collaboration avec la Commission des eaux courantes du Québec, la Compagnie de pulpe de Chicoutimi et la Price Brothers en arrivent à une entente pour remplacer les anciennes écluses en bois datant du début du siècle. À partir des études menées par l'ingénieur H.-S. Ferguson de New York, les travaux consistent à relever de neuf mètres le niveau du lac Kénogami afin de créer un réservoir artificiel capable d'alimenter sur une base annuelle les usines de Chicoutimi, de même que celles de Jonquière et de Kénogami. Au départ estimé à 2 millions le projet dépasse en 1924 les 4 millions lors de la mise en opération des barrages. En plus de causer l'inondation du village de Saint-Cyriac et le déménagement de 124 familles, le relèvement du lac Kénogami provoque la disparition du vieux chemin Kénogami qui reliait Chicoutimi à Hébertville. Pour compenser la perte de cette première artère régionale, le gouvernement fait construire le tronçon de l'actuelle route 170 entre Jonquière et Saint-Bruno[54].

Grande bénéficiaire de ces travaux en raison de la banqueroute de la Compagnie de pulpe de Chicoutimi, la Price Brothers tablera sur cette expérience pour entreprendre la mise en valeur de la Grande Décharge. Certes, elle n'est pas la première à s'être intéressée à la mise en valeur du plan d'eau du lac Saint-Jean et de son déversoir le Saguenay[55]. Dès 1900, le colonel B.A. Scott de Roberval et l'américain L. T. Haggin avaient acquis du gouvernement pour 20 000 $ par le biais de la Oyamel Company, le droit d'exploiter les cours d'eau sur le Saguenay depuis la Chute-à-Caron jusqu'à l'Île Maligne.

Durant la même période, Thomas L. Willson, le fondateur d'Union Carbide du Canada, aujourd'hui Elkem Metal, achetait les pouvoirs hydrauliques en aval du Saguenay entre la Chute-à-Caron et Shipshaw en vue d'établir une usine de carbure. Comme dans le cas de Oyamel, le projet de Willson restera cependant à l'état d'ébauche, faute de moyens financiers[56].

En 1913, à la suite de l'invitation de Willson, le président d'American Tobacco, James Buchanan Duke, qui était alors à la recherche d'importantes sources d'énergie pour la production d'engrais à base d'azote, vient visiter le Saguenay avec l'ingénieur W. S. Lee. Impressionné par le potentiel hydro-électrique de la région, il achète les droits de Willson et forme avec le colonel Scott, en 1914, la Quebec Development[57]. Après des études préliminaires et des travaux d'arpentage et de sondage autour de la Grande Décharge, le projet est suspendu en raison du premier conflit mondial[58].

En 1922, William Price III qui projette depuis un certain temps déjà la construction d'un moulin à papier à Saguenayville, dans le rang Saint-Martin à Chicoutimi, achète de Duke la chute Willson au pied de la rivière Shipshaw. Comme ils ont des intérêts communs, Duke intéresse Price à son projet de barrage sur la Grande Décharge[59]. Sur les 540 000 chevaux-vapeur disponibles à cet endroit, Price consent à en acheter 200 000 notamment pour remplacer le charbon utilisé à son usine de Kénogami et pour la construction de sa nouvelle papeterie qu'il localise désormais à Riverbend sur l'île d'Alma. À l'automne 1922, les deux hommes décident de s'associer pour former la Duke—Price Power Company[60]. Après avoir obtenu du gouvernement pour 18 000 $ les droits d'exploitation de la Grande Décharge et de la Chute-à-Caron et la permission de relever le niveau du lac Saint-Jean à la hauteur de 5,25 mètres selon l'échelle d'étiage de Roberval, les travaux débutent à l'hiver 1923 sous la conduite de l'ingénieur Lee. Près de 7 000 travailleurs

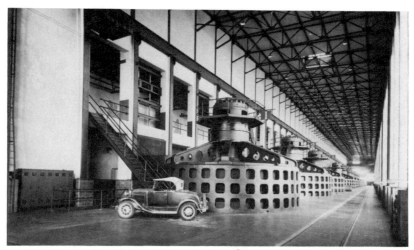

Vue intérieure de la centrale d'Île Maligne, SHLSJ.

Les camps de construction de la Quebec Development, SHLSJ.

réalisent la construction des sept réservoirs, de la digue et de la centrale, avec ses douze turbines géantes, au coût d'environ 55 millions. Le tout est complété en 1925-1926[61].

Comme les besoins de la Price Brothers sont insuffisants pour absorber toute l'énergie produite par la centrale de l'Île Maligne, son nouveau président John H. Price, qui a pris la succession de son père, et J. B. Duke se mettent à la recherche de clients potentiels. Membres de plusieurs conseils d'administration, ils intéressent la Port-Alfred Pulp and Paper, la Shawinigan Water and Power et l'Aluminum Company of America, qui est en quête d'énergie pour réaliser ses projets d'expansion[62]. En juillet 1925, six mois avant le décès de Duke, l'Alcoa annonce qu'elle s'apprête à injecter 100 millions dans l'aménagement de la Chute-à-Caron et dans la construction d'une aluminerie près de Chicoutimi[63].

Avec l'érection de lignes à haute tension depuis Île Maligne jusqu'à Port-Alfred, de même que celles vers Dolbeau pour alimenter le futur moulin de la Lake St. John Pulp and Paper Company, aujourd'hui la Domtar, et vers Québec à travers la Réserve des Laurentides, l'environnement régional est métamorphosé[64]. L'inondation de juin 1926 causée par le relèvement des eaux du lac à l'insu des propriétaires riverains, puis celle du printemps 1928, qui entraîne la formation du Comité de défense des cultivateurs présidé par Onésime Tremblay, sont l'occasion pour les Jeannois de mesurer la contrepartie de l'industrie[65]. Du côté de Chicoutimi, la fermeture des écluses et les changements dans les courants du Saguenay obligent la municipalité à demander au gouvernement, en 1930, la construction du pont de Saint-Anne[66].

Essentiels au fonctionnement de la grande industrie, les barrages hydro-électriques et le fort potentiel de développement moteur des rivières constitueront, à compter de 1925, le facteur déterminant de la croissance économique de la région. L'implantation de l'Alcoa à Arvida allait le prouver.

Les premières alumineries

Bien que, dès 1909, on soumette l'idée d'établir une aluminerie au Saguenay[67], c'est par l'achat du stock d'actions de Duke que l'Alcoa fait son entrée dans la région. Deux raisons concourent à expliquer ce choix de la compagnie. Premièrement, comme le gouvernement britannique devenait de plus en plus insistant pour que la bauxite de la Guyane anglaise soit transformée en alumine puis en aluminium à l'intérieur de l'Empire britannique, le Saguenay—Lac-Saint-Jean, qui en faisait partie intégrante et qui avait toujours maintenu des liens étroits avec lui, se trouvait de ce fait avantagé[68]. Deuxièmement, l'abondance de l'énergie et le faible prix de revient pour son aménagement en région permettaient de plus à l'Alcoa d'être autosuffisante et de produire à meilleur coût que ses concurrents. Tandis qu'il en coûtait en moyenne 65 $ pour aménager un cheval-vapeur au Saguenay—Lac-Saint-Jean, les coûts s'élevaient entre 110 et 120 $ en Écosse, en Allemagne et aux États-Unis[69]. Fort de ces atouts tant du côté de la matière première que du côté de l'électricité, facteur essentiel à l'application du procédé d'électrolyse découvert en 1886 par l'américain Charles Martin Hall, Alcoa entreprend en 1925 la construction de sa seconde aluminerie au Canada après celle de Shawinigan en 1900.

Le lieu d'implantation de la nouvelle usine est localisé à mi-chemin entre Jonquière et Chicoutimi[70]. La proximité de la future centrale de la Chute-à-Caron permet l'emploi de générateurs comme source d'énergie directe et évite l'utilisation de transformateurs et de lignes de transmission à haute tension. De plus, la présence du port de mer de la baie des Ha! Ha! et l'étendue des plateaux permettent d'envisager la construction de l'usine ainsi que la création d'une ville modèle pour les ouvriers. En août 1925, les négociations avec la cinquantaine de cultivateurs du rang 2 à Jonquière débutent. Des assemblées sont organisées avec les propriétaires afin de leur expliquer la nature exacte du projet et les intentions de la compagnie. Plus d'un million est investi dans la transaction, à raison de 200 $ en moyenne l'acre[71].

Soigneusement planifiée à partir du modèle des «new town» britanniques, la municipalité d'Arvida épousera vaguement la forme d'un «Y». Les usines placées à l'est en constitueront la base alors que le quartier des affaires se retrouvera au centre et que les deux bras limiteront les quartiers résidentiels. Dès l'automne 1925, les travaux d'aménagement de l'usine et de la ville sont entrepris parallèlement. Pendant cette période, les travailleurs arrivent au rythme de 50 par jour. Presque la moitié de ces ouvriers sont des immigrants européens spécialisés dans la construction. En 1930, 54% seulement des 700 travailleurs sont des Canadiens français. Plusieurs anciens ouvriers de la pulperie de Chicoutimi chercheront à s'y engager, mais peu réussiront à passer avec succès l'examen médical[72].

Dès le printemps 1926, l'ampleur des travaux commandent l'arrivée d'un personnel de supervision et de direction qui sera recruté parmi le personnel américain d'Alcoa. Le vingt-sept juillet 1926, soit moins d'un an après le début des travaux sur cet ancien champ de pommes de terres, les premiers lingots d'aluminium sont coulés grâce aux 100 000 chevaux-vapeur en provenance de la centrale de l'Île Maligne[73].

En 1927, l'usine d'Arvida avec ses 1 650 travailleurs est à peine terminée que la compagnie décide de procéder à des agrandissements afin de décupler sa production. Pour ce faire, elle entreprend la construction de la centrale de la

Chute-à-Caron à une cinquantaine de kilomètres en aval de l'Île Maligne[74]. De plus, pour faciliter ses opérations, elle fonde, en juin 1928 sa filiale canadienne: l'Aluminum Company of Canada Limited. Son mandat est extrêmement large et s'étend depuis l'exploitation et l'extraction de la matière première jusqu'à la fabrication du métal et des produits semi-finis. Des comptoirs de vente distribués partout dans le monde s'occupent de desservir les clients.

La crise économique des années 30 portera un dur coup à l'Alcan. Entre 1927 et 1932, alors que la production passe de 27 400 à 10 000 tonnes, l'embauche chute brusquement de 1 650 à 400 travailleurs. Pour Alcan la crise ne sera que temporaire, contrairement à la Price Brothers qui se verra une nouvelle fois acculée à la faillite en raison du ralentissement dans le domaine du papier et de ses trop fortes charges et obligations, soit près de 80 000 $ par mois, pour l'obtention d'une partie de l'électricité de l'Île Maligne[75]. C'est la découverte de nouvelles utilisations du métal dans le secteur de l'aluminerie qui contribuera à la régénération de l'industrie. Ainsi, entre 1933 et 1939 le nombre des emplois

Les travaux d'agrandissement de l'usine d'Alcan à Arvida en 1940,
Collection Alcan.

passe de 440 à 1 760 travailleurs; la production quant à elle atteint les 100 000 tonnes, soit trois fois plus que lors de la période de fondation[76].

La Seconde Guerre mondiale est pour Alcan l'occasion de mettre sur pied son nouveau programme d'agrandissement[77]. Non seulement va-t-on construire en toute hâte, en l'espace de soixante-douze mois, 19 salles de cuves de type Soderberg, mais pour les alimenter, on érige aussi entre 1941 et 1943 les barrages du lac Manouan et des Passes Dangereuses ainsi que la centrale de Shipshaw qui, avec ses 896 000 chevaux-vapeur, se présente alors comme la plus grande centrale du monde. Financés par les gouvernements anglais, américain et canadien, ces travaux, y compris les ateliers et les bâtiments de service,s'élèvent à 236 millions et feront d'Arvida le plus grand complexe d'aluminium du monde. Les retombées en termes d'emploi seront considérables. En juillet 1942, près de 10 600 ouvriers travaillent à la construction de la centrale de Shipshaw. Entre 1939 et 1943, le nombre des travailleurs à Arvida varie de 1 760 à 12 000, sans compter ceux de l'usine d'Île Maligne inaugurée en août 1942[78]. De 1936 à 1941, la compagnie double ses profits, ceux-ci passant de 32,5 millions à 65,1 millions.

La guerre froide entre les États-Unis et l'U.R.S.S. permet également à l'Alcan d'accroître et de consolider ses établissements en région. Pour assurer l'augmentation de sa production, soit de 397 000 en 1949 à 545 000 tonnes en 1953, Alcan aménage la rivière Péribonca et construit en 1950 la centrale de Chute-du-Diable et en 1951 celle de Chute-à-Savane[79]. Parallèlement à ces travaux, une nouvelle aluminerie, celle de Kitimat, est érigée en Colombie-Britannique. Mais au moment où celle-ci est prête à commencer sa production, en 1953, la guerre de Corée se termine. La baisse dans les commandes cause des problèmes de surplus. En outre, le principal client de la compagnie, la British Aluminum, décide d'élever en 1955 sa propre usine de fabrication, celle de

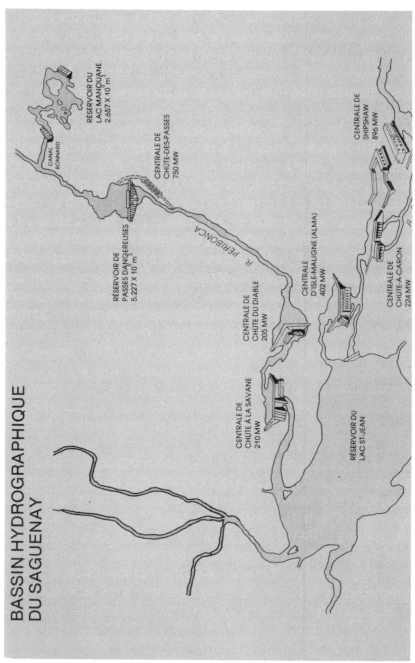

Carte de localisation des centrales hydro-électriques d'Alcan,
Source: Alcan

Les installations portuaires de l'Alcan à Port-Alfred vers 1980, A. Ellefsen.

Reynolds à Baie-Comeau. Les usines tournant à moins de 60% de leur capacité, la compagnie effectue 300 mises à pied en février 1957. Trois mois plus tard, le syndicat de la Fédération nationale de la métallurgie, affilié à la Confédération des travailleurs catholiques du Canada, déclenche une grève générale de ses 6 500 membres[80].

Mais au cours de la décennie 60 et avec l'intensification de la guerre du Vietnam, Alcan atteint sa période d'apogée. En moins de trente ans, avec Chute-des-Passes en 1956, la compagnie a aménagé six grandes centrales hydroélectriques d'une capacité de 4 millions de chevaux-vapeur ou 2 350 000 kilowatts et sa production annuelle dans la région s'établit à près de 500 000 tonnes[81]. En 1967, en dépit de ses 9 000 employés et d'une masse salariale de 77 millions, la compagnie entame progressivement la fermeture de plusieurs salles de cuves dans ses usines d'Arvida et d'Isle-Maligne[82]. Inscrite dans le contexte du virage technologique et de la nouvelle orientation d'Alcan de se rapprocher des marchés et de s'attacher davantage à la transformation qu'à la production de son produit, elle inaugure l'ère des petites alumineries du type de La Baie et de Laterrière qui, avec un personnel réduit, soit environ 600 employés chacune, et une technologie de pointe permettent de produire à meilleur coût que les anciennes installations[83].

Indicateur de changement dans la structure industrielle et économique du Saguenay—Lac-Saint-Jean, ce processus de modernisation entrepris par Alcan, et suivi par Price Brothers et par la Consolidated-Bathurst au cours des années 1970 et 1980, est révélateur de la fin d'un cycle, celui de la grande industrie, amorcé à la fin du siècle dernier avec la Compagnie de pulpe de Chicoutimi. L'importance du secteur tertiaire dans les diverses municipalités de la région, et à Chicoutimi en particulier, et les besoins de concertation pour raffermir l'unité régionale et mettre en place de grands projets de développement propres à favoriser la création d'emplois et susciter un nouvel intérêt pour le Saguenay—Lac-Saint-Jean apparaissent comme les données les plus récentes de son histoire actuelle.

Orientations bibliographiques

Bouchard, Louis-Marie, *Les villes du Saguenay, étude géographique*, Montréal—Chicoutimi, Leméac et Université du Québec à Chicoutimi, 1973, p. 103-145.

Le Saguenay industriel, Chicoutimi, Aubin et Grenon, 1929, 121 p.

Ryan, William F., *The Clergy and Economic Growth in Quebec (1896-1914)*, Québec, Presses de l'Université Laval, 1966, p. 117-177.

Conclusion

Au terme de ce livre, une vision de l'histoire du Saguenay—Lac-Saint-Jean se dessine. Les Amérindiens, les premiers occupants, ont utilisé durant la préhistoire une partie des ressources de la région pour assurer leur survie. Pour ces hommes de l'âge de pierre, le territoire drainé par le lac Saint-Jean, le Saguenay, et leurs affluents constitue un véritable écosystème. Le cycle des saisons détermine leurs activités. Ainsi, ne vivant pas totalement en autarcie, ils profitent de l'été pour troquer avec d'autres nations. Les produits d'échange sont divers et visent à répondre à leurs besoins matériels.

La position stratégique des Montagnais à Tadoussac en bordure du Saint-Laurent, leur expertise dans le domaine de la chasse, l'établissement d'une route de commerce dans l'arrière-pays, l'abondance et la qualité des animaux à fourrure concourent à leur donner un avantage sur les autres groupes amérindiens lorsque les trafiquants français pénètrent à l'intérieur des eaux du golfe. Habitués à faire du commerce, ils vont vite établir des échanges. L'attrait de la nouveauté, la performance des objets de métal, la découverte du lustre et de la beauté du duvet de castor ainsi que l'abolition des lois somptuaires contribuent de part et d'autre à favoriser l'intensification du commerce. Si, en 1603, Champlain vient sceller officiellement cette alliance, les guerres iroquoises et la présence de marchands anglais dans la baie d'Hudson obligent, en 1652, l'administration coloniale à revoir les conditions de l'alliance. Numériquement faibles, réduits à la dépendance, les Montagnais ne peuvent s'opposer plus longtemps à l'entrée des Français dans leur territoire. Mettant fin à des millénaires d'autonomie, le décret du gouverneur de Lauzon inaugure l'âge du comptoir.

Sur une période d'une vingtaine d'années, douze postes sont créés à l'intérieur de l'ancienne chasse gardée montagnaise. Affermé à l'enchère publique, le Domaine du Roi devient l'apanage des grands marchands de la Place royale. Un réseau s'instaure, en 1676, avec Chicoutimi comme tête de pont pour l'axe Saguenay-baie d'Hudson. Pendant deux cents ans, selon les aléas du marché et à cause du changement d'allégeance, la région se définit comme un «pays à part», interdit à la colonisation et exportateur de fourrures.

Au XIXe siècle, le commerce du bois se développant, l'intérêt pour le Saguenay—Lac-Saint-Jean se déplace. Les cours d'eau ne servent plus à faire descendre les peaux de fourrures, mais à faire flotter le bois et à actionner les scieries et les meuneries. Les comptoirs de traite ne forment plus des ensembles isolés. Ils se transforment en magasin général pour répondre aux besoins des nouveaux venus que sont les colons appelés par le travail des chantiers et la présence de la terre. Remplaçant les locataires, les entrepreneurs forestiers, dont William Price, exercent une profonde emprise sur le territoire. Comme au temps des Amérindiens, le roulement des saisons rythme la vie des habitants dispersés dans l'espace. L'absence d'un réseau routier adéquat empêche la mise en place d'une agriculture de marché. Comme les gens vivent isolés pendant la période hivernale, on comprend que l'arrivée du premier bateau crée une effervescence partout dans les villages.

Cette vie au ras du sol ne change pas avant la fin du XIXe siècle. Sans doute vers 1880, le Saguenay—Lac-Saint-Jean ne ressemble plus à celui de 1840, car la colonisation s'est étendue en bordure du lac, des paroisses se sont constituées comme à Hébertville et à Roberval; mais l'économie agro-forestière domine toujours. Avec l'arrivée du chemin de fer, un vent de progrès souffle sur la région. On assiste à une période de transition. L'agriculture se spécialise vers l'industrie laitière, les banques font irruption à Chicoutimi et les nouvelles élites formées entre autres au Séminaire entendent s'adonner à la transformation du milieu.

Fortement imprégnés par le courant nationaliste, Joseph-Dominique Guay et Julien-Édouard-Alfred Dubuc fondent en 1896 la Compagnie de pulpe de Chicoutimi. L'entreprise entame le cycle de la grande industrie. Les premières canalisations en béton, l'utilisation du fer dans la construction appellent non seulement d'importantes mises de fonds, mais l'intervention d'ingénieurs en provenance des États-Unis et des pays scandinaves. Ces contacts avec l'extérieur s'expliquent par l'importance de ces travaux. Alors qu'au temps des Price l'Angleterre était à peu près le seul acheteur des produits du Saguenay, voici qu'avec Dubuc les marchés de la région s'étendent aux États-Unis, à l'Angleterre et à la France.

Les exigences de main-d'oeuvre autant pour le fonctionnement des usines que pour les opérations des chantiers entraînent une nouvelle vague de peuplement. Suivant l'exemple de Chicoutimi, de nouveaux noyaux industriels sont constitués à Jonquière, à Val-Jalbert et à Péribonka. L'industrie prend aussi une nouvelle tangente lorsque William Price III implante à Jonquière, en 1903, une machine à carton puis, en 1909, une machine à papier. Les besoins sans cesse grandissant des deux grands que sont la Price Brothers et la Compagnie de pulpe de Chicoutimi les amènent, malgré leurs rivalités et leurs champs d'action particuliers, à concevoir l'ère des grands barrages. Le coût élevé de ces travaux, ses nombreux engagements financiers et la faillite de l'un de ses principaux clients amènent la Compagnie de pulpe de Chicoutimi à la banqueroute en 1924.

Le désir d'expansion incite William Price III à s'associer, en 1922, à l'américain James Buchanan Duke dans l'aménagement de la centrale hydro-électrique de l'Île Maligne. Une soixantaine de millions de dollars sont investis à cette fin. La papeterie de Riverbend sera la première dans la région à fonctionner entièrement à l'électricité. L'abondance énergétique pousse l'Alcoa à établir, en 1925 et en 1926, son aluminerie d'Arvida. En fonction des demandes de la Seconde Guerre mondiale et de la guerre froide, des agrandissements sont effectués avec la construction des nouvelles centrales de Shipshaw et des Passes Dangereuses entre autres qui contribueront à faire d'Arvida le plus grand complexe d'aluminium au monde.

Ainsi, à travers le temps, l'économie du Saguenay—Lac-Saint-Jean aura toujours été modelée par les forces du marché extérieur. La spécificité de ses ressources et sa position dans l'ensemble québécois ou nord-américain déterminent en définitive le caractère de sa vocation et l'orientation de son développement.

Notes

CHAPITRE I

1. Jacques Cartier, *Voyages en Nouvelle-France*, Montréal, Hurtubise-HMH, 1977, p. 18-19, 86 sqq. (Coll. Documents d'histoire); Fernand Braudel (sous la direction de), *Le Monde de Jacques-Cartier*, Montréal—Paris, Libre Expression—Berger Leveault, 1984, p. 290.

2. Joanne Laberge, *Itinéraire toponymique du Saguenay—Lac-Saint-Jean*, Québec, Commission de toponymie du Québec, 1983, p. 66-67; voir aux Études amérindiennes de l'Université du Québec à Chicoutimi, Fonds Léonidas Larouche; Victor Tremblay, «Le Royaume du Saguenay», *Bulletin de la Société historique du Saguenay*, no 31 (5 avril 1958), p. 7-9.

3. Gustave Lanctot, *Histoire du Canada*, I, Montréal, Beauchemin, 1967, p. 266-267; Études amérindiennes de l'Université du Québec à Chicoutimi, Fonds Jean-Paul Simard, «Esquisse d'une histoire économique et sociale du Saguenay»; Pierre-George Roy, *Inventaire de pièces sur la Côte Nord de Labrador*, vol. I, p. 126-128; Archives du Séminaire de Chicoutimi, Précis d'histoire des Postes du Roi, dossier C-25-308, p. 3125 sqq.

4. Victor Tremblay, *op. cit.*, p. 16-17; Rossel Vien, *Histoire de Roberval, coeur du Lac-Saint-Jean, 1855-1955*, Publications de la Société historique du Saguenay, no 15, 1955, p. 109 sqq.; Pierre-Yves Pépin, *Le Royaume du Saguenay en 1968*, Ottawa, Imprimeur de la Reine, 1968, p. 376.

5. Victor Tremblay, *op. cit.*, p. 34.

6. Mentionnons qu'un nouveau régionyme est apparu depuis peu comme solution de remplacement à l'expression Saguenay—Lac-Saint-Jean: Jules Dufour, «La Sagamie: un nouveau régionyme pour la région du Saguenay et du Lac-Saint-Jean», *Annales de l'ACFAS*, vol. 44, no 2, 1977, p. 105-110.

7. Michel Therrien, Luc Walsh et Diane Gaumond, *Le profil du Saguenay—Lac-Saint-Jean, région 02*, Québec, Office de plani-

fication et de développement du Québec, 1976, p. 1; Jacqueline Darveau-Cardinal, «Victor Tremblay, mémoire vivante du "royaume du Saguenay"», *Forces*, no 37, 4e trimestre 1976, p. 40.

8. Raoul Blanchard, *L'Est du Canada français* «*Province de Québec*», t. 2, Paris—Montréal, Librairie Masson et cie—Librairie Beauchemin ltée, 1935, p. 7; Christian Pouyez, Yolande Lavoie *et al.*, *Les Saguenéens*, Québec, Presses de l'Université du Québec, 1983, p. 6.

9. Gilles Boileau, *Le Saguenay—Lac-Saint-Jean*, Québec, La Documentation québécoise, 1977, p. 21, 86.

10. Michel Therrien *et al.*, *op. cit.*

11. Victor Tremblay, *op. cit.*; *id.*, *Histoire du Saguenay depuis les origines jusqu'à 1870*, Chicoutimi, La Librairie régionale éd., 1968, p. 1-2; Jacqueline Darveau-Cardinal, *op. cit.*, p. 23.

12. Jules Dufour, *op. cit.*, p. 23.

13. Christian Pouyez, Yolande Lavoie *et al.*, *op. cit.*; Gérard Bouchard, «Un essai d'anthropologie régionale. L'histoire sociale du Saguenay aux XIXe et XXe siècles», *Annales: économies, sociétés, civilisations*, no 1 (janvier-février 1979), p. 106-107.

14. Arthur Buies, *Le Saguenay et le Bassin du Lac-Saint-Jean*, Québec, Léger Brousseau, 1896, p. 269-291; Damase Potvin, *Le tour du Saguenay, historique, légendaire et descriptif*, Québec, [s. éd.], 1920, p. 93; Raoul Blanchard, *op. cit.*, p. 37-40.

15. Benoît Brouillette, «Les régions géographiques de la Province de Québec», in Esdras Minville, *Notre milieu. Aperçu général sur la Province de Québec*, Montréal, Éditions Fides, 1942, p. 43-44.

16. Raoul Blanchard, *op. cit.*, p. 7-60.

17. Raoul Blanchard, *op. cit.*; Jacques Boutin, France Delisle, André Fradette, Jocelyn Nadon et Sylvain Saint-Gelais, *Le Saguenay*, Chicoutimi, Société d'expansion économique du Saguenay, 1979, p. 13 sqq.

18. *Ibid.*, p. 31 sq; Raoul Blanchard, *op. cit.*, p. 45; Ministère du Loisir, de la Chasse et de la Pêche, *Le Parc du Saguenay. La nature devenue fjord*, Québec 1983, p. 7-11; Pierre Dagenais, «La région des Laurentides», in *Notre Milieu, op. cit.*, p. 114 sqq.

19. Suzanne Éthier, «Le Saguenay, une ferme d'eau douce et d'eau salée», *Réseau*, janvier 1982, p. 11-12.; André Delisle, «La Sagamie, pays d'un lac et de rivières», *Réseau*, avril 1981, p. 14-

16; Ministère du Loisir, de la Chasse et de la Pêche, *op. cit.*, p. 13; Michel Legault et Hélène Gouin, *La ouananiche, fierté du Lac-Saint-Jean*, Québec, ministère du Loisir, de la Chasse et de la pêche, 1985, 19 p.

20. Raoul Blanchard, *op. cit.*, p. 27-32, 46-50.

21. Gilles Boileau, *op. cit.*, p. 29 sqq.; Louis-Martin Tard, «Le Saguenay-Lac-Saint-Jean: deux terroirs, un même royaume», *Perspectives*, 7 juillet 1982, p. 2.

22. Christine Escktrom Lee, *Exploring North America's Valleys*, Washington, National Geographic Society, 1984, article reproduit dans *Le Quotidien*, 26 juin et 21 juillet 1984.

23. Pierre Richard, *Histoire post-wisconsinienne de la végétation du Québec méridional par l'analyse pollinique*, Québec, ministère des Terres et Forêts, Direction générale des forêts, 1977; *Exposé sur la politique forestière*, tome 1: *Prospection et problématique*, Québec, ministère des Terres et Forêts, 1971, p. 5.

24. Gilles Boileau, *op. cit.*, p. 33; Collin Paré et Serge Cloutier, *Bilan socio-économique 1984. Le Saguenay—Lac-Saint-Jean*, Office de planification et de développement du Québec, 1986, p. 6; Victor Tremblay, «La forêt saguenéenne avant la colonisation», *Saguenayensia*, Archives nationales du Québec à Chicoutimi, Fonds Mgr Victor Tremblay, dossier 645 (a.c.).

25. Victor Tremblay, *Histoire du Saguenay*, p. 21-23.

26. Voir Némèse Garneau, «L'industrie de la pulpe», *Saguenayensia*, vol. 22, nos 3-4 (mai-août 1980), p. 175.

27. Gilles Boileau, *op. cit.*, pp. 35-40; Jules Dufour, «L'eau en Sagamie», *Cahiers de l'ACFAS*, no 8, 1981, p. 15-25.

28. Raoul Blanchard, *op. cit.*, p. 62-106.

29. Pierre-Yves Pépin, *op. cit.*, p. 286.

30. Gilles Boileau, *op. cit.*, p. 61.

31. Jacques Boutin et al, *op. cit.*, p. 179 sqq.; Pierre-Yves Pépin, *op. cit.*, p. 345 sqq; Adam Lapointe, Paul Prévost et Jean-Paul Simard, *Éonomie régionale du Saguenay-Lac-Saint-Jean*, Chicoutimi, Gaëtan Morin éd., 1981, p. 91.

32. Victor Tremblay, «Le nom "Saguenay" dans l'histoire», *Saguenayensia*, vol. 5, nos 5-6 (septembre-décembre 1963), p. 103.

33. Collin Paré et Serge Cloutier, *op. cit.*, p. 2.

34. Gilles Boileau, *op. cit.*, p. 23; Gérard Bouchard, *op. cit.*, p. 115-118.

35. Collin Paré et Serge Cloutier, *op. cit.*, p. 12.

36. Jean-Charles Claveau, «L'homogénéité ethno-culturelle du Saguenay—Lac-Saint-Jean», *L'Action nationale*, vol. LXXVI, no 10 (juin 1987), p. 921-927, vol. LXXVII, no 11 (septembre 1987), p. 36-47.

37. Sur ce qui suit, «Sommet sur le développement et l'économie de la région 02: état de la situation», *Le Quotidien*, 15 juin 1983.

38. Office de planification et de développement du Québec, *op. cit.*, p. 85; Adam Lapointe *et al, op. cit.*, p. 121-122; Gilles Boileau, *op. cit.*, p. 87.

39. Clermont Dugas, *Les régions périphériques. Défi au développement du Québec*, Québec, Presses de l'Université du Québec, 1983, p. 51-52.

CHAPITRE II

1. Claude Chapdelaine, *Un campement préhistorique au pays des Kak8chak ou Porcs-épics : le site de Chicoutimi (DCES-1)*, rapport soumis à la municipalité de Chicoutimi et à la Direction régionale du Saguenay—Lac-Saint-Jean, ministère des Affaires culturelles, août 1984, p. 107; Camille Lapointe, *Le poste de traite de Chicoutimi (site DCES1-DCES2) : un établissement commercial sur la route des fourrures au Saguenay-Lac-Saint-Jean*, rapport soumis à la municipalité de Chicoutimi et à la Direction régionale du ministère des Affaires culturelles, juin 1985, p. 17 et 20.

2. N'Tsukw et Robert Vachon, *Nations autochtones en Amérique du Nord*, Montréal, Fides, 1983, p. 87; Jean-Paul Simard, «Les Amérindiens avant la colonisation blanche», in Christian Pouyez, Yolande Lavoie *et al.*, *Les Saguenéens*, Québec, Presses de l'Université du Québec, 1983, p. 84-86.

3. G.-E. Giguère éd., *Oeuvres de Champlain*, vol. I, Montréal, Éditions du Jour, 1973, p. 85.

4. Claude Chapdelaine, *La préhistoire du Saguenay-Lac-Saint-Jean: Bilan et prospectives*, rapport soumis à la municipalité de Chicoutimi et à la Direction régionale du ministère des Affaires culturelles, septembre 1983, p. 3-5; *id., op. cit.*, p. 98, 105-106;

Jean-Paul Simard, *op. cit.*, p. 73; Pierre Gill, *Les Montagnais, premiers habitants du Saguenay-Lac-Saint-Jean*, Mishinikan, 1987, p. 41; Norman Clermont, «L'hiver et les Indiens nomades du Québec à la fin de la préhistoire», *La revue de géographie de Montréal*, vol. XXVIII, no 4, 1974, p. 446-452.

5.   G.-E. Giguère, *op. cit.*, p. 12-13; A. Dragon, s.j., *Trente robes noires au Saguenay*, Société historique du Saguenay, no 24, 1970, p. 77-80.

6.   Allan Burgesse, «Les Indiens du Saguenay», *Bulletin de la Société historique du Saguenay*, no 3 (20 novembre 1946), p. 5; A. Dragon, *op. cit.*, p. 76 et 82; *Relations des Jésuites*, (Relation de 1646), tome 3, Montréal, Éditions du Jour, 1972, p. 30-31.

7.   Claude Chapdelaine, *op. cit.*, p. 107; *id.*, *op. cit.*, p. 3-4.

8.   Jean-Paul Simard, *op. cit.*, p. 24; *id.*, «Le meeting de M8chou8raganich», *Recherches amérindiennes au Québec*, vol. 6, no 2, p. 4; Jean-Paul Simard, «Les Amérindiens...», p. 74; Marcel Laliberté, «Occupations et échanges autochtones sur la rive gauche de la Métabetchouane», *Saguenayensia*, vol. 27, no 4 (octobre-décembre 1985), p. 175.

9.   Claude Chapdelaine, «Un campement de pêche iroquoïen au royaume du Saguenay», *Recherches amérindiennes au Québec*, vol. XIV, no 1 (printemps 1984), p. 25-33; *id.*, «Les Iroquoïens de la Province de Canada au royaume du Saguenay : alliances, foires ou diapora à Chicoutimi», *Saguenayensia*, vol. 27, no 4 (octobre-décembre 1985), p. 179; *id.*, «Un campement...», p. 98-102.

10.   *Ibid.*, p. 110-114.

11.   Claude Chapdelaine, *L'occupation amérindienne du site de Chicoutimi (DCES-1)*, janvier 1983, p. 30; *id.*, *op. cit.*; Camille Lapointe, *Chicoutimi, une étape au coeur d'une forêt habitée*, Ville de Chicoutimi, p. 20 (livre en cours de parution); Allan Burgesse, *op. cit.*, p. 9.

12.   Claude Chapdelaine, *La préhistoire du Saguenay-Lac Saint-Jean...*, p. 18-20.

13.   René Bélanger, *Les Basques dans l'estuaire du Saint-Laurent*, Montréal, Presses de l'Université du Québec, 1971, p. 17-19.

14.   *Ibid.*, p. 39-40 et 63-64; Laurier Turgeon, «La traite française dans le Saint-Laurent au XVIe siècle», *Saguenayensia*, vol. 27, no 4 (octobre-décembre 1985), p. 191; Irène Frain Le Pohan, «Les ancêtres des Terre-Neuvas», *L'histoire*, no 36 (juillet-août 1981), p. 90-91; Jules Bélanger, Marc Desjardins, Yves Frenette, Pierre

Dansereau, *Histoire de la Gaspésie*, Montréal, Boréal Express/ IQRC, 1981, p. 84-87; Marcel Trudel, *Histoire de la Nouvelle-France, I : les vrais tentatives, 1524-1603*, Montréal-Paris, Fides, 1963, p. 219.

15. Robert Le Blant, René Beaudry, *Nouveaux documents sur Champlain et son époque*, vol. I (1560-1622), Ottawa, Archives Publiques du Canada, no 15, 1967, p. XV; Jean-Paul Simard, «Les Amérindiens avant la colonisation blanche», p. 72; René Bélanger, *op. cit.*, p. 65; Emile Salone, *La colonisation de la Nouvelle-France*, Trois-Rivières, Réédition boréal, 1970, p. 17 sqq. et 156 sqq.; Denys Delage, *Le pays renversé. Amérindiens et Européens en Amérique du Nord-est, 1600-1664*, Montréal, Boréal Express, 1985, p. 246 sqq.

16. J.-E. Roy, *Voyage au pays de Tadoussac*, Québec, A. Côté, 1889, p. 16; *Relations des Jésuites*, tome 4, p. 203.

17. *Relations des Jésuites*, (Relation de 1634), tome 1, p. 41.

18. N'tsukw et Robert Vachon, *op. cit.*, p. 87; Jean-Paul Simard, *op. cit.*, p. 74; H.P. Biggar, *The Works of Samuel de Champlain*, t.1, Toronto : The Champlain Society, 1911, p. 123-124; J.-E. Roy, *op. cit.*, p. 6; Denys Delage, *op. cit.*, p. 93.

19. *Ibid.*, p. 142; G.-E. Giguère, *op. cit.*, (1608), p. 144.

20. J.-E. Roy, *op. cit.*, p. 48; Marcel Trudel, *op. cit.*, p. 235 et 249; Jean-Claude Lasserre, *Le Saint-Laurent, grande porte de l'Amérique*, Montréal, Hurtubise-HMH, 1980, p. 81; mémoire de M. de La Chesnaye sur le Canada, Collection de documents relatifs à l'histoire de la Nouvelle-France, vol. 1, p. 253 sqq.; Lucien Campeau, *La misère des Jésuites chez les Hurons, 1634-1651*, Montréal—Roma, Bellarmin, Institutum Historium, 1987, p. 18, 23 et 74.

21. *Ibid.*, p. 80; Denys Delage, *op. cit.*, p. 152 sqq.

22. G.-E. Giguère, *op. cit.*, (1603), p. 6-10; J.-E. Roy, *op. cit.*, p. 43; Victor Tremblay, «Le traité de 1603», *Saguenayensia*, vol. 6, no 2 (mars-avril 1964), p. 27-30; Elsie McLeod Jury, «Anadabijou», *Dictionnaire biographique du Canada*, vol. I, p. 61-62; Jean-Paul Simard, *op. cit.*, p. 77.

23. Harold A. Innis, *The Fur Trade in Canada. An Introduction to Canadian Economic History*. Toronto, University of Toronto Press, 1967, p. 23-42; Denys Delage, *op. cit.*, p. 108-109; Robert Rumilly, *La Compagnie du Nord-Ouest. Une épopée montréalaise*, t. 1, Montréal, Fides, 1980, p. 8.

24. A. Dragon, *op. cit.*, p. 46-47; R.G. Twaites, *The Jesuit Relations and Allied Documents*, (Relation de 1635), p. 21, (Relation de 1643), p. 37; Jean-Paul Simard, *op. cit.*, p. 90-91.

25. Sur cette chasse gardée, voir *Relations des Jésuites*, tome 6, (Relation de 1672), p. 47; J.-Edmond Roy, *op. cit.*, p. 109.

26. Gustave Lanctot, *Histoire du Canada, des origines au régime royal*, Montréal, Beauchemin, 1960, p. 166-167; Claude de Bonnault, *Histoire du Canada français (1534-1763)*, Paris, Presses Universitaires de France, 1950, p. 40 sqq.; J. B. Ferland, *La France dans l'Amérique du Nord*, 1, Tours-Montréal, 1929, 3e éd., p. 433.

27. Mémoire de La Chesnaye sur le Canada, *op. cit.*; Marcel Trudel, «La Nouvelle-France», *Cahiers de l'Académie canadienne-française*, 1957, p. 32.

28. Louise Dechêne, *Habitants et marchands de Montréal au XVIIe siècle*, Paris-Montréal, Plon, 1974, p. 482; Raoul Blanchard, «Vieilles routes et foires de fourrures dans le Nord-Est du Canada», *Revue trimestrielle canadienne*, Montréal, 19e année, 1933, p. 227; R.G. Thwaites, *op. cit.*, (vol. 44), p. 238 sqq.

29. Raoul Blanchard, *op. cit.*, p. 228-230; Robert Simard, *Reconnaissance archéologique au lac Nicabau*, Chicoutimi, Université du Québec à Chicoutimi, 1976, p. 17.

30. Gaston Gagnon, *Le commerce des fourrures au Saguenay et le poste de traite de Chicoutimi (1676-1876)*, Ville de Chicoutimi et ministère des Affaires culturelles, 1985, p. 84-90; André Vachon, «Louis Jolliet», *Dictionnaire biographique du Canada*, vol. 1, p. 408-409; Archives de la Société historique du Saguenay, dossier de correspondance du musée du Saguenay-Lac Saint-Jean, 1 (1935-1943) : Tadoussac, document 68 : lettre du 15 mai 1942.

31. Lionel Groulx, «Note sur la chapellerie au Canada sous le régime français», *Revue d'histoire de l'Amérique française*, III, 3(décembre 1949), p. 397.

32. Archives nationales du Québec à Chicoutimi, Fonds Mgr Victor Tremblay, dossier 306 (ancienne cote); Pierre-G. Roy, Ordonnances, Commissions... des gouverneurs et intendants de la Nouvelle-France, 1639-1706, vol. 2, Beauceville, *L'Éclaireur*, 1924, p. 358-363; sur Normandin, Archives nationales du Québec à Chicoutimi, Fonds Mgr Victor Tremblay, document 58a, dossier 2688; et J.-Henri Fortin, «Le rapport du voyage de J.-L. Nor-

mandin aux sources du Saguenay», *Saguenayensia,* vol. 16, no 5 (septembre-octobre 1974), p. 102-107.

33. Camille Lapointe, *Le poste de traite de Chicoutimi,* p. 21-22; Gaston Gagnon, *op. cit.,* p. 84-91.

34. Jean-Paul Simard, «Survol...», p. 20-21; Victor Tremblay, *Histoire du Saguenay,* p. 40.

35. Lionel La Berge, *Rouen et le commerce du Canada de 1650 à 1670,* L'Ange-Gardien, Éditions Bois-Lotinville, 1972, 156 p.; Gaston Gagnon, *op. cit.,* p. 62 sqq.

36. Fernand Grenier, «Charles Bazire», *Dictionnaire biographique du Canada,* vol. I, p. 87; Yves F. Zoltvany, «Charles Aubert de La Chesnaye», *D.B.C.,* vol. II, p. 27-36; Cameron Nish, «François-Étienne Cugnet», *D.B.C.,* vol. II, p. 162-166; Cameron Nish, «Denis Riverin», *D.B.C.,* vol. II, p. 600-602; Dale Miquelon, «Marie-Anne Barbel (Fornel)», *D.B.C.,* vol. IV, p. 48-49; Liliane Plamondon, «Une femme d'affaires en Nouvelle-France: Marie-Anne Barbel, veuve Fornel», *Revue d'histoire de l'Amérique française,* vol. 31, no 2 (septembre 1977), p. 165-185; Michel Gaumont, *La maison Fornel,* Québec, ministère des Affaires culturelles, 1965.

37. Archives du Séminaire de Chicoutimi, «Mémoire de l'intendant Gilles Hocquart sur la Traitte de Tadoussac, 1 septembre 1733», dossier 1-C-25-310.

38. Archives du Séminaire de Chicoutimi, «Pere Coquart's letter to Governor Murray, 12 March 1765», dossier 2-C-25-310, p. 3; Victor Tremblay, *Histoire du Saguenay, depuis les origines jusqu'à 1870,* Chicoutimi, Librairie régionale Inc., 1968, p. 209.

39. Archives nationales du Québec à Chicoutimi, Fonds Mgr Victor Tremblay, dossier 103, pièce 2: «Historic Forts and Trading Posts of the French Regime and the English Fur Trading Companies»; Archives Publiques du Canada, MG19D10; Norman Anick, *The Fur Trade in Eastern Canada until 1870,* manuscript report number 207, Ottawa, Parcs Canada, 1976, p. 58.

40. Camille Lapointe, *op. cit.,* p. 80.

41. Pour un exemple de livre de comptes se rapportant aux Amérindiens, Archives nationales du Québec à Chicoutimi, Fonds Mgr Victor Tremblay, P 1000/22, S.A.3 : La Compagnie du Nord-Ouest, 1789-1818.

42. Archives nationales du Québec à Chicoutimi, Fonds Mgr Victor Tremblay, dossier 1134, p. 9 : mémoire de la veuve Fornel, 9

septembre 1749; Cameron Nish, *François-Étienne Cugnet, entrepreneur et entreprises en Nouvelle-France*, Montréal, Fides, 1975, p. 170; John Hare, Marc Lafrance, David-Thierry Ruddel, *Histoire de la ville de Québec, 1608-1871*, Montréal, Boréal/Musée canadien des civilisations, 1987, p. 48.

43. Cameron Nish, *op. cit.*, p. 127; Jean-Paul Simard, *Incursion documentaire dans le Domaine du Roi, 1780-1830*, Chicoutimi, Centre d'études et de recherches historiques du Saguenay, 1968, p. 97; *id.*, «Le personnel des Postes du Roi en 1733», *Saguenayensia*, vol. 11, no 6 (novembre-décembre 1969), p. 159.

44. Jean-Paul Simard, «Le meeting...»; Lorenzo Angers, «Les origines religieuses du Saguenay», *Le Messager de Saint-Antoine*, vol. 41 (août 1935), p. 159.

45. Archives du Séminaire de Chicoutimi, «Mémoire de Hocquart», p. 2741-2742; Camille Lapointe, *op. cit.*, p. 81; Michelle Guitard, *Des fourrures pour le Roi au poste de Métabetchouan*, ministère des Affaires culturelles, Direction régionale du Saguenay—Lac-Saint-Jean, 1984, p. 65 sqq.; N'Tsukw et Robert Vachon, *op. cit.*, p. 87.

46. Michelle Guitard, *op. cit.*, p. 63 et 71; Jean-Paul Simard, «Les Amérindiens avant la colonisation blanche», p. 81-82; *Relations des Jésuites*, tome 1, 1663, p. 39.

47. Georges-Emile Giguère, *op. cit.*, 1, p. 240.

48. Jean-Paul Simard, «Le meeting...», p. 5-6.

49. Robert Rumilly, *La Compagnie du Nord-Ouest, une épopée montréalaise*, t. 1, Montréal, Fides, 1980, p. 91-92.

50. Benoît Brouillette, *La pénétration du continent américain par les Canadiens français*, Montréal, Fides, 1979, p. 221.

51. Sur ce qui suit, Archives nationales du Québec à Chicoutimi, Fonds Mgr Victor Tremblay, document no 71 : Journal de Neil McLaren (1800-1804), transcrit par J.-A. Burgesse.

52. Voir le témoignage de Thomas Simard, Jean-Paul Simard, «Pressions pour ouvrir le Saguenay, 1829-1836», Chicoutimi, Centre d'études et de recherches historiques du Saguenay, 1968, p. 115.

53. Michelle Guitard, *op. cit.*, p. 165.

54. Jean-Paul Simard, «Les Amérindiens avant la colonisation blanche», p. 92-93.

55. François Pilote, *Le Saguenay en 1851*, Québec, 1852, section II, no 21.

56. Victor Tremblay, «Une délégation montagnaise auprès de Lord Elgin», *Saguenayensia*, vol. 10, no 2 (mars-avril 1968), p. 39; Archives nationales du Québec, Greffe de Louis-Zéphirin Rousseau, no 112, 16 juillet 1852 : Protêt par Peter McLeod junior, John Lesueur et Frederick Brain contre John Kane.

57. Sur ce qui suit, Michelle Guitard, *op. cit.*, p. 191.

58. *Le Lac Saint-Jean*, c.15 juillet 1915.

CHAPITRE III

1. Claude Marcil, «Un peu d'histoire sur la forêt québécoise», *Forêt Conservation*, (mai 1983), p. 32-37.

2. François Crouzet, *L'économie britannique et le blocus continental (1806-1813)*, t. II, Paris, Presses Universitaires de France, 1958, p. 91-97 et 492.

3. Jean-Claude Robert, *Montréal, 1821-1871. Aspects de l'urbanisation*, Thèse de 3e cycle, École des hautes études en sciences sociales, mars 1977, p. 80 sqq.; A.R.M. Lower, «The Trade in square timber», in W. T. Easterbrook and M.-H. Watkins, *Approaches to Canadian Economic History*, Toronto-Montréal, The Carleton Library, 1967, p. 28-48; *La Province de Québec*, Québec, département de l'Agriculture de la province de Québec, 1900, p. 56.

4. Stanley-Bréhaut Ryerson, *Le capitalisme et la Confédération*, Montréal, Parti-Pris, 1972, p. 45; voir également Esdras Minville, «La forêt», in *Notre milieu. Aperçu général sur la province de Québec*, Montréal, Fides-HÉC, 1942, p. 169.

5. Albert Faucher, «La construction navale à Québec au XIXe siècle : apogée et déclin», in *Histoire économique et unité canadienne*, Montréal, Fides, 1970, p. 227-254; John Hare, Marc Lafrance et David-Thiery Ruddel, *Histoire de la ville de Québec, 1608-1871*, Montréal, Boréal/Musée canadien des civilisations, 1987, p. 181-190.

6. Voir Fernand Ouellet, *Histoire économique et sociale du Québec, 1760-1850*, Montréal, Fides, 1971, p. 336; Gilles Paquet, *Histoire économique du Canada*, Montréal, Service des transcriptions et dérivés de la radio, Radio-Canada, cahier no 8 (24 décembre 1980), p. 8; Gilles Paquet et Jean-Pierre Wallot, «Crise agricole et tensions socio-ethniques dans le Bas-Canada, 1802-1812 :

éléments pour une ré-interprétation», *Revue d'histoire de l'Amérique française*, vol. 26, no 2 (septembre 1972), p. 185-237.

7. Sur ce sujet, voir Fernand Ouellet, *Le Bas-Canada, 1791-1840, changements structuraux et crise*, Ottawa, Presses de l'Université d'Ottawa, 1976, p. 214; Fernand Harvey, «Une porte d'entrée en Amérique. L'immigration à Québec au XIXe siècle», *Cap-aux-Diamants*, vol. 2, no 2 (été 1986), p. 43.

8. Noël Vallerand, «Histoire des faits économiques de la vallée du Saint-Laurent : 1760-1866», in Robert Comeau (sous la direction de), *Économie québécoise*, Québec, Presses de l'Université du Québec, 1969, p. 63.

9. Gilles Paquet et Jean-Pierre Wallot, «Stratégie foncière de l'habitant : Québec (1790-1835)», *Revue d'histoire de l'Amérique française*, vol. 39, no 4 (printemps 1986), p. 556 sqq.; Christian Dessureault, «L'égalitarisme paysan dans l'ancienne société rurale de la vallée du Saint-Laurent: éléments pour une ré-interprétation», *Revue d'histoire de l'Amérique française*, vol. 40, no 3 (hiver 1987), p. 407.

10. *La Minerve*, 9 mars 1837; Fernand Ouellet, *op. cit.*, p. 231; et pour un exemple tardif, Archives nationales du Québec à Chicoutimi, Greffe d'Ovide Bossé, no 4, 12 décembre 1849 à propos du seigneur Amable Dionne de Sainte-Anne-de-la- Pocatière.

11. Pierre O. Chauveau *et al.*, «Rapport du comité spécial pour s'enquérir des causes et de l'importance de l'émigration qui a lieu tous les ans du Bas-Canada vers les États-Unis», Appendice aux journaux de l'Assemblée Législative, Appendice (A.A.A.A.), 29 mai 1849; J.A.S. Nelligan *et al.*, «Le canadien émigrant ou pourquoi le canadien-français quitte-t-il le Bas-Canada», Appendice aux journaux de l'Assemblée législative, Appendice V, 18 juin 1851.

12. Stanley B. Ryerson, *op. cit.*, p. 37-38; J.A.S. Nelligan *et al.*, *op. cit.*; Alain Gamelin, René Hardy, Jean Roy, Normand Séguin et Guy Toupin, *Trois-Rivières illustré*, Trois-Rivières, La Corporation des fêtes du 350e anniversaire de Trois-Rivières, 1984, p. 28.

13. La Chesnaye, De Comporté, Leber, Hazeur *et al.*, Mémoire des intéressés dans la Compagnie de la Baie d'Hudson, c. 1687, Archives des colonies, série C11A, vol. 7, p. 323-325, document photocopié provenant du Fonds Jean-Paul Simard, Études amérindiennes, Université du Québec à Chicoutimi.

14. Sur ce qui suit, voir Archives du Séminaire de Chicoutimi, Fonds Jean-Paul Simard, dossier C-28-368 : Discours du Trône prononcé par Dalhousie devant les deux Chambres, 16 décembre 1820; et Jean-Paul Simard, *Incursion documentaire dans le Domaine du Roi, 1780-1830*, Chicoutimi, Centre d'études et de recherches historiques du Saguenay, 1968, p. 11-12 et 67-72.

15. Arthur Buies, *Le Saguenay et le bassin du lac Saint-Jean, ouvrage historique et descriptif*, Québec, Léger Brousseau, 1896, p. 17.

16. *Le Canadien*, 18 décembre 1843; Appendice aux journaux de l'Assemblée Législative de la province du Canada, vol. IX, A.A., 22, 1850.

17. Jean-Paul Simard, *Exploration du Saguenay, 1828*, Chicoutimi, Centre d'études et de recherches historiques du Saguenay, 1968, p. 3 et 13.

18. *Ibid.*, p. 13.

19. «Requête demandant la colonisation du Saguenay», *Saguenayensia*, vol. 5, no 2 (mars-avril 1963), p. 39-42.

20. Jean-Paul Simard, «Les voies d'accès au Saguenay : un point de litige», *Saguenayensia*, vol. 12, no 5 (septembre-octobre 1970), p. 107.

21. Pour une reproduction du rapport de W.-H.-A. Davies, voir Jean-Paul Simard, *Pressions pour ouvrir le Saguenay*, p. 85-95 en particulier.

22. Pour une reproduction de leurs témoignages, voir *ibid.*, p. 107-116.

23. Pour une biographie de Morin, Gérard Parizeau, *La société canadienne-française au XIXe siècle. Essai sur le milieu.*, Montréal, Fides, 1975, p. 465-519.

24. Jean-Paul Simard, *op. cit.*, p. 99-105 et 125-126.

25. Raoul Blanchard, *L'Est du Canada français*, t. II, Paris-Montréal, Librairie Masson et cie-Librairie Beauchemin ltée, 1935, p. 67.

26. Jean-Paul Simard, «Survol de l'histoire économique du Saguenay—Lac-Saint-Jean», in Adam Lapointe, Paul Prévost et Jean-Paul Simard, *Économie régionale du Saguenay—Lac-Saint-Jean*, Chicoutimi, Gaëtan Morin éd., 1981, p. 21 sqq.; Archives nationales du Québec, Greffe de L.T. McPherson, no 143, 16 octobre 1837.

27. Archives nationales du Québec, Greffe de Charles H. Gauvreau, 22 octobre 1836.

28. Lettre de Murdock McPherson à James Hargrave, 15 mars 1842, G. P. de T. Glazebrook, *The Hargrave Correspondence, 1821-1843*, Toronto, The Champlain Society, 1938, p. 372-377.

29. Archives nationales du Québec, Greffe de Charles H. Gauvreau, 9 octobre 1837; Jean-Paul Simard, «Biographie de Thomas Simard», *Saguenayensia*, vol. 20, no 1 (janvier-février 1978), p. 4-5.

30. Sur cette Société, voir le dossier des actes notariés rassemblée par l'abbé Jean-Paul Simard aux Archives du Séminaire de Chicoutimi, dossiers C-26-195, C-26-197, C-26-198, C-26-200, C-26-202, C-26-206, C-26-207.

31. Sur Alexis Tremblay dit Picoté, voir la notice de Mario Lalancette, *Dictionnaire biographique du Canada*, vol. VIII, Québec, Presses de l'Université Laval., 1985, p. 992-994; Arthur Maheux, *William Price et la Compagnie Price, 1810-1954*, (manuscrit inédit), 1954, p. 126.

32. Louise Dechêne, *William Price, 1810-1850*, Mémoire de licence ès-lettres (histoire), Québec, Institut d'histoire de l'Université Laval, 1964, p. 65-66; *Le Canadien*, 24 avril 1837; Arthur Maheux, *op. cit.*, p. 199.

33. Archives nationales du Québec, Greffe de L.T. McPherson, no 143, 16 octobre 1837.

34. Lettre de Murdock McPherson à James Hargrave, 15 mars 1842, pré-citée.

35. *Progrès du Saguenay*, 8 septembre 1938; à ce sujet, voir le témoignage de W. H. A. Davies, Jean-Paul Simard, *Pressions pour ouvrir le Saguenay*, p. 95.

36. Sur ce qui suit, voir les actes notariés du greffe de Charles H. Gauvreau rassemblés par le Frère Eloi Girard, Archives nationales du Québec à Chicoutimi, Fonds Mgr Victor Tremblay, dossier 185, pièce 1 (ancienne cote).

37. Sur ce qui suit, Louis-Antoine Martel, *Notes sur le Saguenay*, (manuscrit), Chicoutimi, Centre d'études et de recherches historiques du Saguenay, 1968, p. 5 sqq.

38. Mgr Eugène Lapointe, *Mémoires*, Archives nationales du Québec à Chicoutimi, Fonds Mgr Victor Tremblay, vol. I, p. 25.

39. Christiane Lussier, «Les pins», *Forêt Conservation*, (décembre 1984-janvier 1985), p. 10.

40. Arthur Maheux, *op. cit.*, p. 125.

41. L.-A. Martel, *op. cit.*, p. 26 sqq.

42. *Le Canadien*, 6 mai 1839; Arthur Maheux, *op. cit.*, p. 200.

43. Archives nationales du Québec, Greffe de E. Tremblay et H. Hudon, no 9, 30 juin 1840; Archives nationales du Québec, Greffe de E. Tremblay et J. Gagné, 25 juillet 1842.

44. Appendice aux journaux de l'Assemblée législative du Canada, vol. XIII, HHMM, 1854-1855.

45. Raoul Blanchard, *op. cit.*, p. 71.

46. Gaston Gagnon, «Peter McLeod», *Dictionnaire biographique du Canada*, vol. VIII, Québec, Presses de l'Université Laval., 1985, p. 633-636; Archives nationales du Québec, Greffe de L.-T. MacPherson, 7 novembre 1842.

47. Léonidas Bélanger, *Rivière-du-Moulin. Esquisse de son histoire religieuse*, Publications de la Société historique du Saguenay, no 14 (14 juin 1953), p. 23 sqq.; R.-G. Thwaites, *The Jesuit Relations and Allied Documents*, (Relation du père Coquart), vol. LXIX, p. 119-120; Jean-Paul Simard, *Exploration du Saguenay, 1828 (rapport de W. Nixon)*, p. 160; et pour une brève biographie des 23 pionniers, *Saguenayensia*, vol. 13, no 3 (mai-juin 1971), p. 88.

48. Archives nationales du Québec, Fonds Price, no 699, 27 mars 1844.

49. Sur ce qui suit, Archives nationales du Québec à Chicoutimi, Fonds Price, M188/11, 26 janvier 1843.

50. Archives nationales du Québec à Chicoutimi, Fonds Price, M188/11, 1 février 1844.

51. Archives nationales du Québec, Fonds Price, no 826, 3 décembre 1846.

52. Jean Hamelin et Yves Roby, *Histoire économique du Québec, 1851-1896*, Montréal, Fides, 1971, p. 215.

53. Lettre du Père Jean-Baptiste Honorat à Mgr Turgeon, 19 mai, Archives nationales du Québec à Chicoutimi, Fonds Jean-Paul Simard; et Archives nationales du Québec à Chicoutimi, Fonds Price, M188/12, lettre de Peter McLeod à D. Price, 13 août 1847.

54. Archives du Séminaire de Chicoutimi, dossier C-22-56; Archives nationales du Québec à Chicoutimi, Fonds Mgr Victor Tremblay,

mémoire no 15; Jean-Pierre Hardy, «Le bois et la main-d'oeuvre au XIXe siècle», *Oracle*, no 45, 1983, p. 5; Jules Bélanger, Marc Desjardins et Yves Frenette, *Histoire de la Gaspésie*, p. 376 sqq.; Arthur Maheux, «La banque à pitons», *Concorde*, no 4 (avril 1955), p. 33-34; Percy Martin, «Piton et grimace», *Saguenayensia*, vol. 17, no 4 (mai-août 1975), p. 67-68; *Progrès du Saguenay*, 23 août 1906.

55. Louise Dechêne, «Les entreprises de William Price, 1810-1850», *Histoire sociale*, I, 1968, p. 52.

56. Jean-Paul Simard, «Survol...», p. 24.

57. Sur ce qui suit, voir Archives nationales du Québec à Chicoutimi, Fonds Price, M188/11, 27 janvier et 30 mars 1844; Archives nationales du Québec, Fonds Price, no 703 : lettre de William Price à Georges Simpson de la Hudson's Bay Company.

58. Archives nationales du Québec à Chicoutimi, Fonds Jean-Paul Simard : lettre de Ballantyne à Park, 13 Janvier 1845; Boucher de la Bruère, «Le Saguenay», lettres au *Courrier de Saint-Hyacinthe*, 1880, p. 30; *Progrès du Saguenay*, 6 août 1942.

59. Archives nationales du Québec à Chicoutimi, Fonds Price M188/12, 18 avril 1850; François Pilote, *Le Saguenay en 1851*, Québec, 1852, no 61; et Michel Guérin, *Évolution de la maison Price au Saguenay-Lac Saint-Jean, étude géographique*, Mémoire de baccalauréat, Université du Québec à Chicoutimi, 1979, p. 45; Jean-Paul Simard, *op. cit.*

60. Archives nationales du Québec, Fonds Price, no 464; Louise Dechêne, *William Price, 1810-1850*, p. 78.

61. Archives nationales du Québec à Chicoutimi, Greffe d'Ovide Bossé, no 134, 4 août 1852.

62. Louise Dechêne, *op. cit.*

63. Archives nationales du Québec à Chicoutimi, Fonds Jean-Paul Simard, «Price: cas d'industrialisation au Saguenay», lettre de Morin à Kane, 4 août 1843.

64. Pour une définition de la colonisation, Gabriel Dussault, *Le curé Labelle, messianisme, utopie et colonisation au Québec 1850-1900*, Montréal, Hurtubise-HMH, 1983, p. 7.

65. Christian Pouyez, Yolande Lavoie *et al.*, *Les Saguenéens*, p. 131 sq; *Le Quotidien*, 18 mai 1985 et 15 février 1988; *Progrès du Saguenay*, 30 mai 1938; Archives nationales du Québec à Chicoutimi, Fonds Jean-Paul Simard, dossier 18.32

66. Louis Hémon, *Maria Chapdelaine. Récit du Canada français*. Paris, Bernard Grasset, 1954, p. 229-239; *Le Quotidien*, 19 mars 1988.

67. Gérard Bouchard, «Le peuplement blanc», p. 133 sqq.

68. Archives nationales du Québec à Chicoutimi, Greffe de Ovide Bossé, minute no 98, 23 juillet 1852.

69. Gérard Bouchard, «Démographie et société rurale au Saguenay, 1851-1935», *Recherches sociographiques*, XIX, 1, 1978, p. 27.

70. Voir à ce sujet le témoignage de Mgr Eugène Lapointe, André Laliberté, *Les fêtes du monument Hébert*, Chicoutimi, Le Syndicat des imprimeurs du Saguenay, 1926, p. 3-4.

71. Archives nationales du Québec à Chicoutimi, Fonds Price, M188/12, lettre du 21 mars 1848.

72. L.-A. Martel, *op. cit.*, p. 60.

73. Arthur Buies, *Chroniques I*, Montréal, Presses de l'Université de Montréal, 1986, p. 71; L.-A. Martel, *op. cit.*, p. 14.

74. Sur la ferme de Grande-Baie, voir Appendice aux journaux de l'Assemblée législative du Canada Uni, no 32, A 1858.

75. Archives nationales du Québec à Chicoutimi, Fonds Price, no 593, 23 février, 1843.

76. Sur ce qui suit, Jean-Paul Simard, «Le Saguenay de 1845», *Saguenayensia*, vol. 12, no 1 (janvier-février 1970), p. 9-11; Normand Séguin, *La conquête du sol*, p. 87.

77. Sur Honorat, Normand Séguin, *Dictionnaire biographique du Canada*, vol. IX, Québec, Presses de l'Université Laval, 1977, p. 438-439; Jean-Paul Simard, «Le Père Jean-Baptiste Honorat : son séjour au Saguenay, 1844-1849», *Évocations et témoignages, Centenaire du diocèse de Chicoutimi, 1878-1978*, Évêché de Chicoutimi, 1978, p. 59-79; Marius Paré, *L'Église au diocèse de Chicoutimi*, t. 1, *Germination et formation, 1535-1888*, Chicoutimi, 1983, p. 149-167.

78. *Le Canadien*, 25 mai 1846.

79. Jean-Paul Simard, «Un procès au Saguenay en 1847», *L'Écho du Saguenay*, 1877, p. 15; Archives nationales du Québec à Chicoutimi, Greffe de John Kane, no 1418, 16 mars 1847.

80. Archives nationales du Québec à Chicoutimi, Greffe de Louis-Zéphirin Rousseau, no 284, 4 juillet 1853; sur Louis Mathieu, voir

Archives du Séminaire de Chicoutimi, Fonds F.-X. Gosselin, dossier 15, p.5-C-6; L.-A. Martel, *op. cit.*, p. 54.

81. Archives du Séminaire de Chicoutimi, Fonds Jean-Paul Simard, dossier C-26-353.

CHAPITRE IV

1. Normand Séguin, *La conquête du sol au 19e siècle*, Boréal Express, 1977, p. 115.

2. Pierre-Yves Pépin, *Le Royaume du Saguenay en 1968*, Ottawa, ministère de l'Expansion économique régionale, 1969, p. 62.

3. Pierre-Maurice Hébert, «Les six pères Hébert à Hébertville», *Saguenayensia*, vol. 26, no 1 (janvier-mars 1984), p. 12.

4. Pour une reproduction de cette lettre, voir Guy Frégault et Marcel Trudel, *Histoire du Canada par les textes, I: 1534-1854*, Montréal, Fides, 1963, p. 231-233.

5. Pierre J.-O. Chauveau *et al.*, «Rapport du comité spécial nommé pour s'enquérir des causes et de l'importance de l'émigration qui a lieu tous les ans du Bas-Canada vers les États-Unis», *Appendice aux journaux de l'Assemblée législative du Canada*, 12 Victoria, Appendice (A.A.A.A.A.), 1849.

6. Albert Faucher, «Explication socio-économique des migrations dans l'histoire du Québec», Normand Séguin, *Agriculture et colonisation au Québec*, Montréal, Boréal Express, 1980, p. 145-146; Albert Faucher, «L'émigration des Canadiens français au XIXe siècle : position du problème et perspective», *Histoire économique et unité canadienne*, Montréal, Fides, 1970, p. 255-296; et Marcel Hamelin, *Les premières années du parlementarisme québécois (1867-1878)*, Québec, Presses de l'Université Laval., 1974, p. 42, 92, 342.

7. Michèle Leroux, *La colonisation du Saguenay et l'Association des comtés de l'Islet et de Kamouraska*, Montréal, Diplôme d'études supérieures, Université de Montréal, 1972, p. 14 sqq.

8. Sur ce qui suit, Pierre-Maurice Hébert, *Le curé Hébert, 1810-1888. Un siècle d'histoire*, Éditions de l'Écho, 1988.

9. *Le Canadien*, 24 août 1842, 19 juillet 1843 et 12 août 1848.

10. Michèle Leroux, *op. cit.*, p. 70; Normand Séguin, *op. cit.*, p. 94 sqq.; Pierre-Maurice Hébert, «L'abbé Nicolas-Tolentin Hébert au

184

Saguenay-Lac-Saint-Jean», *Évocations et témoignages. Cente-naire du diocèse de Chicoutimi, 1878-1978*, Chicoutimi, 1978, p. 84-86.

11. Normand Séguin, *op. cit.*, p. 97.

12. *Ibid.*, p. 100; François Pilote, *Le Saguenay en 1851*, Québec, 1852, no 86; Jos-Phydime Michaud, *Kamouraska de mémoire...* Souvenirs de la vie d'un village québécois recueillis par Fernand Archambault, Paris, François Maspero, 1981, p. 9.

13. Normand Séguin, *op. cit.*, p. 91-94.

14. François Pilote, *op. cit.*, no 84 sqq.

15. Normand Séguin, *op. cit.*, p. 105-106.

16. Pierre-Maurice Hébert, *op. cit.*, p. 86.

17. François Pilote, *op. cit.*, no 86.

18. Sur l'abbé François Pilote, Mgr Marius Paré, *L'Église au diocèse de Chicoutimi*, t. I *: germination et formation 1575-1888*, Chicoutimi, 1983, p. 200-201.

19. Pierre-Maurice Hébert, *op. cit.*; voir aussi à ce sujet, Jean-Paul Simard, *Pressions pour ouvrir le Saguenay*, Centre d'études et de recherches historiques du Saguenay, Chicoutimi, 1968, p. 24; Damase Potvin, *La Baie des Hahas*, Éditions de la Chambre de commerce de la Baie des Hahas, 1957, p. 49-50; Jean Provencher, *C'était l'été. La vie rurale traditionnelle dans la vallée du Saint-Laurent*, Montréal, Boréal Express, 1982, p. 84-85.

20. François Pilote, *op. cit.*, no 88.

21. Normand Séguin, «Hébertville au Lac-Saint-Jean, 1850-1900 : un exemple québécois de la colonisation au 19e siècle», *Communications historiques*, 1973, p. 258; *ibid.*, p. 257-263.

22. *Ibid.*, p. 257 sq; *id.*, *La conquête du sol*, p. 111-116.

23. Archives de la Société historique du Saguenay, Fonds David Edward Price : lettre de N.-T. Hébert à D.-E. Price, 24 mars 1862; Mgr Marius Paré, *op. cit.*, p. 475.

24. Arthur Buies, «Dernière étape le Lac-Saint-Jean», *Chroniques I*, édition critique par Francis Parmentier, Montréal, Les Presses de l'Université de Montréal, 1986, p. 455-456.

25. Marcel Hamelin, *op. cit.*, p. 92 sqq.

26. Rossel Vien, *op. cit.*, p. 21 sq; Archives nationales du Québec à Chicoutimi, Collection de la Société historique du Saguenay, journal de Jean-Baptiste Petit, 30 avril, 3 et 10 mai 1875.

27. Archives de la Société historique du Saguenay, Fonds David-Edward Price, lettre du curé Jean-Baptiste Gagnon à David-Edward Price, 9 mai 1862.

28. Gérard Bouchard, «Le peuplement blanc», Christian Pouyez, Yolande Lavoie et al., *Les Saguenéens*, Québec, Presses de l'Université du Québec, 1983, p. 159; *id.*, «Introduction à l'étude de la société saguenéenne aux XIXe et XXe siècles», *Revue d'histoire de l'Amérique française*, vol. 31, no l (juin 1977), p. 3-27; Raoul Blanchard, «Vieilles routes et foires de fourrures dans le nord-est du Canada français», *Revue trimestrielle canadienne*, 19e année, no 76 (décembre 1933), p. 240.

29. Archives nationales du Québec à Chicoutimi, Fonds Price 188/12 : lettre de Peter McLeod à David Price, 13 août 1847; Lettre de William Evan Price à William Price, 18 avril 1850.

30. Rossel Vien, *op. cit.*, p. 27; Archives de la Société historique du Saguenay, Fonds D.-E. Price, lettre de Grant Forrest à David Price, 24 mai 1855.

31. Sur la glissoire, Documents de la Session, 21 Victoria, Appendice no 19, A.1858; 22 Victoria, Appendice no 8, A.1859; 46 Victoria, Appendice no 10, A.1882, p. 368-370; Victor Tremblay, *Alma au Lac-Saint-Jean*, Publication de la Société historique du Saguenay, no 18, 1967, p. 32-36; Jocelyn Caron, «La glissoire d'Alma», *Saguenayensia*, Vol. 28, no 3 (juillet-septembre 1986), p. 89-92.

32. Victor Tremblay, *op. cit.*, p. 37-45.

33. Victor Tremblay, *Histoire du Saguenay depuis les origines jusqu'à 1870*, Chicoutimi, La Librairie régionale éd., 1968, p. 373-374.

34. Rossel Vien, *op. cit.*, p. 60-61; Pierre-Yves Pépin, *op. cit.*, p. 41.

35. Sur le grand feu de 1870, voir l'article synthèse de Maurice Girard, «Le grand feu de 1870», *Saguenayensia*, vol. 12, no 2 (mars-avril 1970), p. 30-35; Archives nationales du Québec à Chicoutimi, Fonds Mgr Victor Tremblay, document no 813 : rapport de Boucher de La Bruère; *L'opinion publique*, 9 juin 1870; *Le Canadien*, 27 mai, 3 et 13 juin 1870; et *La Gazette des familles canadiennes*, 17 juin 1870 aux Archives du Séminaire de Chicoutimi, *Varia-Saguenayensia (1859-1880)*.

36. Archives de la Hudson's Bay Company, B134C117, lettre de Newton Flanagan, Chicoutimi, 25 mai 1870.

37. Gérard Bouchard, «Le peuplement blanc», p. 164.

38. *Le Canadien*, 31 janvier, 26 avril, 4 novembre et 2 décembre 1872.

39. Archives nationales du Québec à Chicoutimi, Collection de la Société historique du Saguenay : Journal de Jean-Baptiste Petit, 4 janvier 1875.

40. Boucher de La Bruère, «Le Saguenay», lettres au *Courrier de Saint-Hyacinthe*, Saint-Hyacinthe, 1880, p. 38-39.

41. Victor Tremblay, *Mgr Victor Tremblay se raconte*, Chicoutimi, Gaëtan Morin éd., 1981, p. 16-17 et 21.

42. *Progrès du Saguenay* 23 mai 1907; John Hare, Marc Lafrance et David-Thiery Ruddel, *Histoire de la ville de Québec 1608-1871*, Montréal, Boréal/Musée canadien des civilisations, 1987, p. 258 sqq.

43. Arthur Buies, *Le chemin de fer du Lac-Saint-Jean*, Québec, Léger Brousseau, 1895, p. 119.

44. Archives du Séminaire de Chicoutimi, dossier 42, pièce 2, C-6 : chemin de fer du Lac-Saint-Jean. Les avantages que Québec retirerait de sa construction, novembre 1875.

45. Mgr Eugène Lapointe, «Mémoires», p. 223-241, Archives nationales du Québec à Chicoutimi, Fonds Mgr Victor Tremblay; *Le Réveil à Chicoutimi*, 7 avril 1887.

46. Arthur Buies, *Le Saguenay...*, p. 307-309.

47. *Ibid.*, p. 310 sqq.

48. *Progrès du Saguenay*, 23 avril 1823; sur Beemer, Gabriel Dussault, *Le curé Labelle, messianisme, utopie et colonisation au Québec 1850-1900*, Montréal, HMH-Hurtubise, 1983, p. 123-124.

49. Sur cette construction, Anne-Marie de Launière-Dufresne, «L'épopée du chemin de fer Québec-Lac-Saint-Jean», *Saguenayensia*, vol. 18, no 2 (mars-avril 1976), p. 26-34; Rodolphe Gagnon, «Le chemin de fer Québec et Lac-Saint-Jean», *Saguenayensia*, vol. 20, no 6 (novembre-décembre 1978), p. 152-164; Archives du Séminaire de Chicoutimi, Fonds F.-X. Gosselin, dossier 42; Léon Provancher, «Le chemin de fer du Lac-Saint-Jean», *Le naturaliste canadien*, 17, 1 (juin 1887), p. 8-16 et (août 1887), p. 18-22.

50. *Progrès du Saguenay*, 1 septembre 1887, 13 décembre et 28 mars 1888; *Progrès du Saguenay*, 28 juillet 1892; Archives munici-

pales de Chicoutimi, Procès-verbaux du conseil de ville, 12 septembre 1892, et Livres des règlements nos 46 et 51; Mgr Marius Paré, *op. cit.*, p. 476-480.

51. *Progrès du Saguenay*, 21 mars 1888, 10 et 19 janvier, 27 février, 7 et 19 mars, 10 juin 1889; *Le Colon*, 22 mars 1900 et 2 octobre 1901.

52. Arthur Buies, *op. cit.*, p. 416-417.

53. *Progrès du Saguenay*, 1 avril 1888.

54. Rossel Vien, *op. cit.*, p. 274.

55. Normand Séguin, *op. cit.*, p. 250; Damase Potvin, *op. cit.*, p. 138.

56. *Progrès du Saguenay*, 16 février, 15 juillet et 30 août 1888.

57. Sur ce qui suit, Jean-Paul Simard, «Survol de l'histoire économique du Saguenay—Lac-Saint-Jean», Adam Lapointe et Paul Prévost, *Économie régionale du Saguenay—Lac-Saint-Jean*, Chicoutimi, Gaëtan Morin éd., 1981, p. 37-39; Robert G. Leblanc, «Colonisation et rapatriement au Lac-Saint-Jean (1895-1905)», *Revue d'histoire de l'Amérique française*, vol. 38, no 3 (hiver 1985), p. 379-408.

58. *Le Rapatriement*, 29 juin 1899 et *Le Lac-Saint-Jean*, 30 novembre 1905.

59. Gilles Fortin, «Le rôle de la navigation sur le Lac-Saint-Jean, 1890-1920», *Saguenayensia*, vol. 14, no 1 (janvier-février 1972), p. 9-12; *Le Colon*, 13 septembre 1900; *Progrès du Saguenay*, 21 mars 1901; *Le Lac-Saint-Jean*, 30 avril et 1 mai 1903, 10 mai 1906.

60. Rossel Vien, *op. cit.*, p. 189-208; Jean Hammann, «Le déclin de l'empire de la ouananiche», *Forêt-Conservation*, vol. 54, no 1 (avril 1987), p. 20-24; Robert Ness *et al.*, *op. cit.*, p. 4.

61. Sur cette clientèle, voir les registres de l'hôtel aux Archives nationales du Québec à Chicoutimi, Fonds Horace-Jansen Beemer, 02, CP132/5.

62. Voir à ce propos Rossel Vien, *op. cit.*, p. 209-287.

63. Damase Potvin, *op. cit.*, p. 135-138.

64. Rossel Vien, *op. cit.*, p. 283-285; J.-C. Langelier, «La région du Lac-Saint-Jean», *Saguenayensia*, vol. 19, no 3 (mai-août 1977), p. 79.

65. *Progrès du Saguenay*, 13 janvier 1910.

66. Rossel Vien, *op. cit.*, p. 291 sqq.

67. Jean-Paul Simard, *op. cit.*, p. 39.

68. Pierre-Yves Pépin, *op. cit.*, p. 59; Fernand Ouellet, «Compte rendu du livre de Normand Séguin : La conquête du sol au 19e siècle», *Histoire sociale*, vol. X, no 20 (novembre-décembre 1977), p. 442.

69. Irène-Marie Fortin, *Les pionnières, les Ursulines à Roberval de 1882 à 1932*, Saint-Nazaire, les Éditions JCL, 1982, p. 123-141; *Progrès du Saguenay*, 9 octobre 1902 et 2 mars 1911.

CHAPITRE V

1. *Progrès du Saguenay*, 13 juillet 1095.

2. Paul-André Linteau, René Durocher et Jean-Claude Robert, *Histoire du Québec contemporain. De la Confédération à la crise (1867-1929)*, Montréal, Boréal Express, p. 355-369.

3. Normand Séguin, *La conquête du sol au 19e siècle*, Québec, Boréal Express, p. 64; Raoul Blanchard, *L'Est du Canada français*, t. 2, Paris—Montréal, Librairie Masson et cie—Librairie Beauchemin ltée, 1935, p. 91-111.

4. Michel Guérin, *Évolution de la maison Price au Saguenay—Lac-Saint-Jean*, (étude géographique), mémoire de baccalauréat, module de géographie, Université du Québec à Chicoutimi, Annexe 1.

5. Arthur Maheux, *William Price et la Compagnie Price Brothers, 1810-1954*, Québec, 1954, (manuscrit inédit).

6. *Progrès du Saguenay*, 13 juillet 1894.

7. Archives nationales du Québec à Chicoutimi, Greffe de Thomas-Z. Cloutier, 4 mai 1893, no 644; au sujet de l'établissement de La Baie, voir ANQC, Greffe de Thomas-Z. Cloutier, 5 juin 1895, no 9777; et du site de la rivière du Moulin, Greffe de Thomas-Z. Cloutier, 12 octobre 1894, no 6886. Ce site sera acheté par J.-D. Guay après le décès de l'abbé Roberge qui le cèdera par la suite à la Compagnie électrique, Greffe de Thomas-Z. Cloutier, 10 mai 1898, no 8440.

8. Gabriel Dussault, *Le curé Labelle, messianisme, utopie et colonisation au Québec, 1850-1900*, Montréal, Hurtubise-HMH, 1983, p. 100; Archives du Séminaire de Chicoutimi, *Annales du Séminaire*, 2 octobre 1897.

9. Gérard Bouchard, *Éléments d'un contre-projet social: l'exemple du Saguenay à la fin du XIXe siècle*, (manuscrit inédit), s.d., p. 10-11.

10. *L'Oiseau-Mouche*, 12 février 1898.

11. Gaston Gagnon, *Pouvoirs et société à Chicoutimi, 1890-1915*, mémoire de maîtrise (histoire), Université du Québec à Montréal, 1980, p. 134-138.

12. *Progrès du Saguenay*, 3 octobre 1895.

13. *Ibid.*, 15 mars 1896.

14. Arthur Buies, *Le Saguenay et le bassin du lac Saint-Jean*, Québec, Léger Brousseau, 1896, p. 167.

15. *Progrès du Saguenay*, 11 août 1895 et 4 juin 1896; pour un point de vue comparatif, Paul-André Linteau, *Histoire de la ville de Maisonneuve, 1883-1914*, thèse de Ph.D. (histoire), Université de Montréal, 1975, p. 214-237.

16. ANQC, Fonds Dubuc, Livre des procès-verbaux de la Compagnie de pulpe de Chicoutimi, 6 décembre 1896, 02-CP1/7, localisation P1; Archives du Séminaire de Chicoutimi, Fonds F.-X. Gosselin, dossier 36, pièce 1, C-6, p. 2.

17. Gaston Gagnon, *op. cit.*, p. 66.

18. Sur ce qui suit, Gaston Gagnon, *La pulperie de Chicoutimi. Histoire et aménagement d'un site industriel*, Ville de Chicoutimi et ministère des Affaires culturelles du Québec, janvier 1988, p. 34-69.

19. Sur la FOMN et les conditions de travail à la pulperie de Chicoutimi, *ibid.*, p. 87-117.

20. Sur les retombées de la pulperie de Chicoutimi, *ibid.*, p. 123-132; *id., Aspects historiques de Chicoutimi, 1676-1925, suivi d'une proposition de circuit patrimonial*, Chicoutimi, Société d'expansion économique du Saguenay éd., 1981, p. 21-23; Christian Pouyez, Yolande Lavoie *et al.*, *Les Saguenéens*, Québec, Presses de l'Université du Québec, p. 170.

21. *Progrès du Saguenay*, 30 mars 1899 et le 20 septembre 1900.

22. Bérard Riverin, «La pulperie de Jonquière (1898-1902)», *Saguenayensia*, vol. 17, no 5 (septembre-octobre 1975), p. 94-100.

23. *L'Oiseau-Mouche*, 2 mars 1901.

24. *Progrès du Saguenay*, 12 décembre 1901 et 19 décembre 1903.

25. Raoul Fortin, «Usine qui disparaît», *Saguenayensia*, vol. 4, no 5, 1962, p. 98-101.

26. *Progrès du Saguenay*, 21 janvier 1910.

27. *Ibid.*, 4 mars 1912.

28. Louis-Marie Bouchard, *Les villes du Saguenay*, Chicoutimi-Montréal, Leméac-La Fondation de l'UQAC, 1973, p. 121; *Progrès du Saguenay*, 6 mars 1912.

29. Archives du Séminaire de Chicoutimi, *Album souvenir du Centenaire de Jonquière, 1847-1947*, dossier C-21-88, p. 21; entrevue de Raoul Fortin avec Gaston Gaston, 10 décembre 1985.

30. Archives nationales du Québec à Chicoutimi, Fonds Mgr Victor Tremblay, dossier 217, pièce 4 (ancienne cote).

31. Victor Tremblay, «Sur les pas d'un colon», *Bulletin de la Société historique du Saguenay*, no 33 (5 décembre 1958), p. 21; Archives nationales du Québec à Chicoutimi, Fonds Dubuc, lettre de Dubuc à Becker, 22 juillet 1906.

32. Victor Tremblay, *op. cit.*, p. 25.

33. *Progrès du Saguenay*, 16 mai 1907; Archives nationales du Québec à Chicoutimi, Fonds Mgr Victor Tremblay, dossier 1631, pièce 1 (ancienne cote).

34. *Progrès du Saguenay*, 24 décembre 1896; *L'Oiseau-Mouche*, 12 février 1898.

35. Jean-François Blanchette et Pierre Gendron, *Val-Jalbert et son histoire*, [s.d.], [s.l.], p. 14 sqq.

36. André Brugeron, «Val-Jalbert (Québec) : grandeur et décadence d'une mono-industrie (les vicissitudes d'une usine de pulpe au Québec au XIXe siècle)», *Norois*, no 66, 17e année (août-juin 1970), p. 255-262; *Le Travailleur*, 3 octobre 1907.

37. *Progrès du Saguenay*, 5 septembre 1901.

38. *Statuts du Québec*, chap. 106, 7 Edward VII, 1907, p. 426-462.

39. *Progrès du Saguenay*, 7 janvier 1928.

40. *Le Travailleur*, 15 décembre 1910; *Progrès du Saguenay*, 7 janvier 1928.

41. Louis-Marie Bouchard, *op. cit.*, p. 123.

42. Archives de l'Évêché de Chicoutimi, Registre série A : lettres vol. II (1896-1912), p. 519-520; *Annuaire de Kénogami*, 1928, p. 19 et 21.

43. «La St. Raymond Paper Limited : un demi-siècle d'histoire», *Le Papetier*, août 1963.

44. Gaston Gagnon, *La pulperie de Chicoutimi : histoire et aménagement...*, p. 138-141.

45. *La Rente*, 1 octobre 1924; District de Montréal, division de faillite no 1, no 60-132 dans l'affaire de Chicoutimi Pulp Co.; Greffe de I.-N. Belleau, 7 février 1927, no 19.016.

46. Archives nationales du Québec à Chicoutimi, Fonds Mgr Victor Tremblay document 728-1.

47. *Progrès du Saguenay*, 26 janvier 1928.

48. Gaston Gagnon, *op.cit.*, p. 153-160.

49. Pierre-Yves Pépin, *Le Saguenay en 1968*, p. 120.

50. Clarence Hogue, André Bolduc et Daniel Larouche, *Québec, un siècle d'électricité*, Montréal, Libre Expression, 1979, p. 129-169; *Progrès du Saguenay*, 12 novembre 1899.

51. Richard Jones, «De la terre à l'usine», in Jean Hamelin, *Histoire du Québec*, Saint-Hyacinthe—Toulouse, Edisem-Privat, 1977, p. 437.

52. Albert Faucher, «Le caractère continental de l'industrialisation», *Histoire économique et unité canadienne*, Montréal, Fides, 1970, p. 168; Raoul Blanchard, *L'Est du Canada français*, p. 98 sqq.

53. Honoré Mercier, *Les forêts et les forces hydrauliques de la Province de Québec*, Québec, 1923, p. 46; Arthur Duperron, «Le réservoir de Kénogami», *Annuaire des comtés de Chicoutimi et Lac Saint-Jean*, Chicoutimi, Le Syndicat des imprimeurs du Saguenay, 1927, p. 321-325.

54. Louise Cantin, *Le lac Kénogami et Saint-Cyriac, 1825-1924*, mémoire de licence, Université Laval, 1975, p. 107.

55. *Progrès du Saguenay*, 9 octobre 1902; Gaston Gagnon, «La "tragédie" du lac Saint-Jean», *Saguenayensia*, vol. 22, no 1 (mars-avril 1980), p. 38.

56. N.S. Crerar, *Historique du développement hydroélectrique du Saguenay*, Alcan, 1958, p. 3.

57. Archives nationales du Québec à Chicoutimi, Fonds Mgr Victor Tremblay, dossier 339, pièce 2 (ancienne cote).

58. Victor Tremblay, *La tragédie du Lac Saint-Jean*, Chicoutimi, Éd. Service moderne, 1979, p. 10-27.

59. Archives nationales du Québec à Chicoutimi, Fonds Mgr Victor Tremblay, dossier 339, pièce 2 (ancienne cote).

60. N.S. Crerar, *op. cit.*, p. 5.

61. Honoré Mercier, *op. cit.*, p. 49-50; *Le Saguenay industriel*, Chicoutimi, Aubin et Grenon, 1929, p. 35; Louis-Henri Harvey, *Le rôle de la rivière Saguenay dans la vie économique de la région qu'elle traverse*, École des hautes études commerciales de Montréal, 1947, p. 26; *Progrès du Saguenay*, 19 mars et 23 juin 1925.

62. Clarence Hogue, André Bolduc et Daniel Larouche, *op. cit.*, p. 218; N.S. Crerar, *op. cit.*, p. 7-8; Duncan C Campbell, *Mission mondiale, histoire d'Alcan*, vol. I, Ontario Publishing Company Limited, 1985, p. 110.

63. Jean-Paul Simard, «Survol de l'histoire économique du Saguenay—Lac-Saint-Jean», p. 52; N.S. Crerar, *op. cit.*, p. 9.

64. *Le Saguenay industriel*, p. 320.

65. Victor Tremblay, *op. cit.*, p. 37-228; *id., Mgr Victor Tremblay se raconte*, p. 105-109; «La "tragédie" du lac Saint-Jean», *Saguenayensia*, vol. 22, no 2 (mars-avril 1980), p. 38-93: Marie-France Paradis, *L'emprise de l'idéologie dominante sur les agriculteurs du Lac-Saint-Jean au début du 20e siècle : l'histoire d'une lutte*, thèse Ph.D. (anthropologie), Université Laval, juillet 1982, p. 170-249.

66. Archives nationales du Québec à Chicoutimi, Fonds Ville de Chicoutimi, article 410.

67. *Progrès du Saguenay*, 13 mai 1909.

68. Archives nationales du Québec à Chicoutimi, Fonds Mgr Victor Tremblay, dossier 261.1 : T.L. Brock, «Arthur Vining Davis' Contribution to the Canadian Aluminum Industry», Business Archives Council of Canada, Montréal, 1973.

69. Archives de la Société historique du Saguenay, Fonds Alcan : *L'Alcan : l'implantation d'un monopole au Saguenay—Lac-Saint-Jean*, [s.l.n.d.], p. 41.

70. Duncan C. Campbell, *op. cit.*, p. 113 ssq.

71. T.L. Brock, *op. cit.*; Archives nationales du Québec à Chicoutimi, Fonds Dubuc, 02-CP1/5, localisation P1.

72. José E. Igartua, «Les origines des travailleurs de l'Alcan au Saguenay, 1925-1939», *Revue d'histoire de l'Amérique*

française, vol. 37, no 2 (septembre 1983), p. 291 sqq.; Archives nationales du Québec à Chicoutimi, Fonds des syndicats catholiques : lettre de l'abbé Alphonse Tremblay à Gustave Delisle, 14 février 1927.

73. T.L. Brock, *op. cit.*

74. *Alcan, le réseau hydro-électrique du Saguenay*, Montréal, [s.d.], p. 10.

75. Archives nationales du Québec, Fonds Louis-Alexandre Tas- chereau, APG 350/19, 15 juillet 1935; *L'Événement*, 19 octobre 1933; Archives nationales du Québec à Chicoutimi, Fonds Dubuc, boîte 146, APG-1.146.4.2.

76. *Progrès du Saguenay*, 15 juin 1926; *L'Alcan : implantation d'un monopole*, p. 42 sqq.

77. Duncan C. Campbell, *op. cit.*, p. 279-280.

78. *Shipshaw*, vol. I, no 27 (13 février 1943) et vol. I, no 52 (août 1943), 24 p.; Duncan S Campbell, *op. cit.*, p. 282.

79. Victor Tremblay, «L'ère des barrages, 1940-1960», *Saguenayen- sia*, vol. 16, no 1 (janvier-février 1974), p. 5-9.

80. *Progrès du Saguenay*, 26 février et 17 mai 1957; Archives nationales du Québec à Chicoutimi, Fonds ville de Chicoutimi, 02-CV7/127.11, localisation V5.

81. Carmine Nappi, «Changements structurels de l'industrie interna- tionale de l'aluminium : le cas du Canada, *Les Cahiers du CETAI*, Hautes études commerciales, no 84-04, avril 1984, p. 9 sqq.; Archives municipales de Ville de La Baie, boîte 42, no 2 : allocution de D.H. Ferguson, directeur des usines d'Arvida devant les membres des Chambres de commerce des jeunes du Saguenay, 21 janvier 1960.

82. Pierre-Yves Pépin, *op. cit.*, p. 212.

83. *Le Devoir*, 31 octobre 1984; Pierre Tourangeau, «Saguenay— Lac-Saint-Jean : le dur réveil», *Commerce*, avril 1987, p. 40 ssq.

Table des matières